动脑筋爷爷

亲子共读必备的科学启蒙书　60年的经典　畅销200万册

精选版

生命的世界

少年儿童出版社

前言

　　大而圆的脑袋，小身子，白胡子白头发，宽宽的眼镜框后面闪烁着一双小而睿智的眼睛，地地道道的长者兼智者模样……这就是陪伴许多70后、80后成长的"动脑筋爷爷"。在老爷爷身边，有一个总爱穿着粉嫩蓬蓬裙的6岁小女孩——小问号，对一切事情都充满好奇与疑问，喜欢刨根问底；还有一个喜欢不懂装懂的6岁小男孩——小天真，常常对问题作出轻率的判断，结果经常是错误的。经过动脑筋爷爷的启发，他们懂得了其中的科学道理。在一个个问与答中，他们开始了解自然与科学。

　　《动脑筋爷爷》第一版由少年儿童出版社1964年出版，共4本；在1979年又推出了第二版，共8本；1987年起，第三版陆续推出，增加到24本。此次再版的精选本（两册）从其中挑选了160余篇文字优美、富有童趣、故事性强的经典作品，内容涉及动物、植物、人体、天文、气象、交通工具、科学等各个领域，适合爷爷奶奶、爸爸妈妈和宝宝三代亲子共读。书中部分内容附有音频，用手机扫描封底二维码即可收听。

CONTENTS 目录

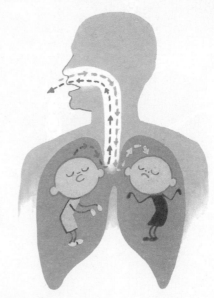

　　"知道，知道，

　　我什么都知道：

　　公鸡水上游，

　　小鸭'喔喔'叫。

　　人家不知道，

　　可是……可是我什么都知道。"

　　小天真正唱着歌，看见小问号跑来，就喊住她："小问号，你跑得这样快，到哪儿去呀？"

　　"找动脑筋爷爷去。我有许多问题，想去问他老人家呢！"

　　"是些什么问题，我来给你回答——你知道，我是什么都知道的！"

　　"你给我回答？好，我先考考你，回答得对，我就把问题讲出来。"说完，小问号就问他：

"哪个不怕冷？
哪个飞来'嗡嗡'叫？
哪个鼻子长？
哪个喜欢吹泡泡？"
小天真想都不想，就说：
"知道，知道，
这些我都知道：
燕子不怕冷，
萤火虫飞来'嗡嗡'
叫，
兔子鼻子长，
我，小天真最
最喜欢吹泡泡。"

小问号听他这么说，哈哈哈地大笑起来："不对！不对！一个都不对！照你这样说，那你小天真变成一只螃蟹了，螃蟹才一天到晚吹泡泡！"说着，她拉了小天真的手，"我们一起找动脑筋爷爷去吧，他知道的事情可多呢！"

　　动脑筋爷爷仔细地听了小问号的问题，笑着说："多有趣的问题！"接着他又说，"我带你们先去看看，待会儿，我再告诉你们！"

萤火虫为什么会发光？

夜晚，动脑筋爷爷的动物园里真热闹，"嗒嗒嗒"吹喇叭，"咚咚咚"敲铜鼓，正开联欢会呢！

"我们去看！"小问号说。

主持人报幕："表演开始啦！第一个节目：萤火虫表演《星星舞》。"忽然，灯都熄了，暗得什么都看不出来。

萤火虫飞来了，一亮一亮，真像天上的星星。

它们不停地飞舞，唱着：

"我是小小萤火虫，晚上飞行天空中，尾巴上面会发光，碰到空气像电筒，我的电筒自己造，飞来飞去到处照。"

蜜蜂飞的时候，为什么"嗡嗡"地叫？

小天真喊了起来："看，蜜蜂，蜜蜂！"

原来是蜜蜂在表演《采蜜》。

它们"嗡嗡"地飞来，停在花朵上，爬着爬着，钻到花朵里去了；一会儿，钻出来，又"嗡嗡"地飞到别的花朵上去。

小问号越看越觉得奇怪，就问动脑筋爷爷：

"蜜蜂飞的时候，为什么要'嗡嗡'地叫，停在花朵上，为什么就不叫了？"

动脑筋爷爷却不回答，把手里的扇子用力地扇着，发出呼呼的声音来。小天真很奇怪，睁大了眼睛问："动脑筋爷爷，你做什么呀？"

　　动脑筋爷爷说："你们不是要知道，蜜蜂飞的时候为什么'嗡嗡'地叫吗？就是这个道理。它飞的时候，翅膀像扇子一样扇动空气，一秒钟能扇二百多次呢。它停在花上，翅膀不动了，声音也就没有了。"

蜘蛛结网捉虫，网怎么不会粘住它自己？

第三个节目：《蜘蛛结网》。

小蜘蛛跟蜘蛛妈妈学习结网。

蜘蛛妈妈从肚子下面往外抽丝，一边抽，一边对小蜘蛛说："你别东张西望呀，要好好学！"它抽着丝，从树枝上走到墙角，来回结着。后来，网结好了。突然，一只捣乱的苍蝇飞来了，猛地撞在网上，翅膀被网粘得牢牢的，再也逃不走啦！

　　小蜘蛛望着苍蝇发呆，蜘蛛妈妈提醒它说：“你快去呀，把苍蝇咬住。”

　　小蜘蛛说：“妈妈，苍蝇被网粘住了，我过去，也要给网粘住，我不去！”

　　蜘蛛妈妈说：“真是傻孩子，我们蜘蛛脚上有油，怎么会被网粘住呢？”

　　小蜘蛛听了妈妈的话，就放心地走过去，一口把苍蝇咬住了。

知了为什么喜欢停在树上？

　　动脑筋爷爷请小天真和小问号喝汽水。正在这个时候，广播响起来了："表演又要开始了，请大家进场！"他们赶快把汽水喝完，走进会场。小天真抹了抹嘴巴，着急地问："谁表演，谁表演？"抬头一看，知了像箭一样地飞起来，原来是知了表演唱歌。它一落到树上，就"知了，知了"大声地唱起来。

　　听了一会儿，小问号觉得很奇怪，就自言自语地说："知了可怪哩，它飞的时候不唱，停在树上却一个劲儿唱歌，这样的大热天，怎么不口渴？"

　　这话给小天真听到了，他说："渴了嘛，'吱吱吱'，喝汽水！"小问号"嗤"地笑了出来："树上哪来的汽水？"

　　老爷爷笑笑，把一副望远镜递给小问号说："这回小天真说对了，你来瞧瞧。"

　　小问号一看，哦，原来知了唱歌是不用嘴的，也不是用翅膀的。它肚子上有两片膜瓣，一动一动，就唱出歌来了。再看看，知了的嘴尖尖的像一根锥子，又像一根管子，插进树枝里，吸树的汁水。

　　小天真把望远镜抢了过来："让我看看！"他看了一会，忽然叫起来："哈哈，知了吸树汁，真像咱们用吸管喝汽水呢！"

蚂蚁会说话吗？

　　下面的节目是《小蚂蚁搬豆》。

　　一只小蚂蚁找到了一粒豆。它急急忙忙赶回家去，看见大伙儿都在这儿，就张开嘴巴，好像在说："喂！大家快去搬豆呀！"

　　可是，大伙儿都没有听到它的话。

　　小问号问："为什么小蚂蚁的声音会听不到呢？"

　　老爷爷说："蚂蚁是不会说话的。它只能发出很轻很轻的声音，声音太轻了，谁也听不出来。"

小天真替小蚂蚁着急，说："那怎么办呀？"

老爷爷指着说："看！小蚂蚁不是有办法了吗？"

他们一看，见小蚂蚁用它头上的触角，碰一碰在它旁边的蚂蚁，这只蚂蚁用触角点了点头，表示知道了。它又用触角碰碰后面的蚂蚁。这样，一只碰一只，一直传过去，大伙儿都知道了。

蚂蚁马上排队，小蚂蚁领着，到了放豆的地方，快快乐乐地把豆搬回家去。

小天真拍着手，用头碰碰小问号，说："哈哈！真有趣。让我也试试看。"

小问号叫起来："哎呀！你怎么用头碰我呀？"

"我是学蚂蚁说话嘛。"

老爷爷笑着说："人没有触角，你又不是哑巴，怎么学起蚂蚁来啦！"

鸡有耳朵吗？

这时候，小公鸡出场表演了。

小公鸡看见大家都有耳朵：小猫有，小狗有，小兔也有……

小公鸡气鼓鼓地说："我的鸡冠高高的，眼睛圆圆的；鼻子呢，也有两个洞眼，多么漂亮啊！就少两只耳朵！"

小公鸡想要一对耳朵。它拿了一把剪刀、一张纸，要去找最漂亮的耳朵，照样剪一对，装在自己的头上。

它看见一头驴子在吃草。驴子的耳朵可漂亮哩：长长的，尖尖的，又会摆动。

　　小公鸡张开翅膀，飞上矮树想看个仔细，好用纸照着样子剪一对。

　　驴子冷不防小公鸡会扑到树上来，"呜汪——呜汪——"大声地叫起来。

　　小公鸡听见驴子叫，吓了一跳，连忙跳下，没命地逃跑。

　　鸭妈妈看见了，笑着说："小公鸡，你没有耳朵，怎么会听到驴子叫呢？告诉你：你是有耳朵的。你瞧，在我眼睛的后边，有一撮稍稍凸起的毛，毛的背后就藏着我的耳朵。你也有这么一对耳朵。只是没有耳壳，光有耳朵洞。我们的耳朵生得挺巧妙：虫子钻不进，雨水淋不着。多好的耳朵啊，你还要驴子的耳朵做什么呢？"

象的鼻子有什么用处？

　　联欢会结束了，动脑筋爷爷还带着他们在动物园里玩。这里，动物真多，有大象、兔子、松鼠……什么都有。一只兔子蹲在大象背上，多有趣。小问号看着，对小天真说："你说兔子的鼻子长，你看——"

　　小天真一看，红了脸。他现在知道了，象的鼻子最长。"那大象的鼻子为什么要长那么长呢？"他觉得奇怪，就问动脑筋爷爷。

　　动脑筋爷爷说："谁都比不过大象的鼻子，它很像一只灵巧的手，拾呀，拿呀，吸呀，卷呀，样样都能干。你们看，那只灰象用鼻子'拿'起草送进嘴里；白象用鼻子剥树皮吃呢。大象如果没有这个长鼻子，就要挨饿！"

　　小问号一边听，一边把动脑筋爷爷的话记下来。她已经记了七个问题啦。接着她又问："那兔子的耳朵为什么要这样长？"

　　动脑筋爷爷就给他们讲了个故事。

兔子的耳朵为什么这样长？

　　森林里，矮树底下，住着兔子一家。兔妈妈有两个孩子，一个叫腿儿长，还有一个叫毛儿黄。一天，腿儿长、毛儿黄和小鹿、小松鼠，玩得正高兴，忽然听见谁喊了起来："狼来啦！"

　　真的，狼从森林那边跑过来啦！它们赶快逃回家里，告诉妈妈："妈妈，森林里有狼，我们搬家吧！"

　　"孩子，别害怕。"妈妈摸摸它们的长耳朵，说："我们有一对长耳朵，可以听见很远很远的声音。只要你们留心听，不等狼走近，已经听见它的声音了。"

　　从此，腿儿长出门，总把耳朵竖得高高，留心听声音。一天，它走到一棵大树下，忽然听见远处有"呼呼"

的声音，知道豹来了，赶快跑回家。

　　毛儿黄也是一样，它可留心呢，就是在吃青草的时候，耳朵也转呀转的，听到树枝"窸窸窣窣"地响，知道狼正走近来，赶快跑回家。

　　狐狸最狡猾，它知道兔子的耳朵最灵敏，就偷偷地躲在兔子的洞口等着，可是它等了一天一夜，也没有看见兔子出来。

　　动脑筋爷爷讲到这里，望望小问号和小天真，问他们："你们说，狐狸为什么没等到兔子呢？"

　　"兔子的耳朵长，听到了狐狸的声音。"小问号回答。

　　老爷爷点点头："说得对，兔子妈妈已经听到狐狸躲在那里，它早带了孩子，从另一个洞口出去了。"

　　小天真听完，拉住动脑筋爷爷的手，说："故事真好听，您再讲一个吧！"

　　小问号指指树上的松鼠说："老爷爷，您讲个'松鼠尾巴为什么那么大'的故事吧！"

　　动脑筋爷爷捋捋胡须，点点头。

松鼠尾巴为什么那么大？

小灰兔的耳朵长得很长，但是它的尾巴却生得特别短。它想："尾巴有什么用呢，短就短一点吧！"

可是有一天，小灰兔看见树上的松鼠，长着一条蓬蓬松松的大尾巴，就很奇怪：这么大的尾巴，要它干什么呀？

只见松鼠从一棵大树顶上，向下一跳。那条又轻又软的大尾巴，在空中飘着，松鼠就像挂着降落伞一般，轻轻地落在一株矮树上。

　　"怪不得松鼠在那么高的树上跳来跳去，不会跌伤，它全靠大尾巴帮忙呢！"小灰兔说。

　　"不光是这样，你不知道，我的大尾巴还有别的用处哩！"松鼠赶忙说，"你瞧！"

　　只见那大尾巴一翘，就把松鼠的身体盖住了。原来松鼠睡觉的时候，还把大尾巴当作一条又暖又软的被子呢！

为什么鹅要咬人？

　　小问号和小天真，正听得起劲，忽然那边走来一群鸭子，里面有两只特别高大，长颈脖，白羽毛，头上有个黄色的肉瘤，仔细一看，呀，原来是两只大白鹅。鹅看见了他们，伸长脖子，"刚刚"地大叫着，拍打着翅膀向他们冲过来。

　　"别怕，别怕。"动脑筋爷爷说着，张开手臂去赶鹅。那两只大白鹅又高声地叫了几声，转过身去，一摇一摆，随着鸭群跑了。

　　这时候，小问号又想到一个问题，她问老爷爷："鹅为什么要咬人呢？它不怕人吗？"

　　小天真抢着说："连这都不知道吗？这叫牛眼看人大，鹅眼看人小。"

"这话不对。"老爷爷笑了笑说，"你们可知道，白鹅是从大雁变过来的呀！人们还没有驯养它们的时候，它们总是成群结队的。白天，吃呀，玩呀，飞呀；夜里，就住在河边或是沙洲上，还派出'哨兵'站岗。要是野兽来了，它们就'刚刚'叫着和敌人打仗。大雁成了家鹅，可是它们仍旧这样勇敢。它们咬人，也是为了保护自己呀！"

　　老爷爷摸了摸胡须又说，"有的农民用鹅看家。我呢，就用它看守鸡群、鸭群。就跟牧羊狗在羊群里一样，它们很负责呢！瞧，你们是生人，它们见了就要咬你们！"

鱼会睡觉吗？

"金鱼生病啦！"

小问号一听小天真喊，就奔过来。她仔细一看，金鱼在水里一动也不动，眼睛睁得大大的，嘴巴还一张一合呢。

动脑筋爷爷笑着说："金鱼没有病，它在睡觉啊！"

"海里的鱼，河里的鱼，江里的鱼，湖里的鱼，池塘里的鱼，它们也要睡觉吗？"小问号很奇怪。

"鱼都要睡觉的。不过，鱼没有眼皮，不能像人那样闭起眼睛睡觉。"

小天真听了，说："我知道了，我知道了！鱼是睁着眼睛睡觉的。"

螃蟹为什么要吹泡泡？

　　池塘旁边，有一只螃蟹正在"呼呼"地吹泡泡，青蛙"呱呱"地蹲在荷叶上，对着螃蟹不住地叫。小天真看见了，高兴得喊了起来："你们来看呀，青蛙在和螃蟹说话呢！"

　　动脑筋爷爷蹲下去听了一会，点着头说："它们是在讲话。"

　　小问号问："那它们在讲些什么呀？"

　　动脑筋爷爷就把青蛙和螃蟹讲的话，告诉了他们：

　　青蛙说："螃蟹，螃蟹，你怎么那么爱吹泡泡呀？"

　　螃蟹慢悠悠地说："你不知道我是用鳃呼吸的吗？我在水里呼吸惯了，上了岸鳃就觉得干燥，呼吸不方便。我把鳃里存着的水，一点一点地吐出来，吐出一个个泡泡。有的泡泡破了，就发出淅沥淅沥的声音。"

　　青蛙又说了："这真是新鲜事儿。你不说，我还以为你吹着玩呢！"

　　老爷爷带着小天真、小问号继续在池塘边散步，一边走一边又给他们讲起了故事。

河水结冰了，鱼为什么不会冻死？

大雪飘飘，河面上结冰了，小鲤鱼发慌地问妈妈："河水结冰啦！会不会冻死我们？"

鲤鱼妈妈安慰着小鲤鱼："别慌，别慌，冬天，河面上结冰，下面可不会结冰的。这样再好没有了。"

小鲤鱼奇怪地瞪着妈妈。

　　鲤鱼妈妈接着说：“冬天寒冷，河面上结起厚厚的冰，好像盖了一层厚厚的被子，天气再冷，下面的水也不会冰冻的，我们可以好好地度过冬天。”

　　小鲤鱼们听了很高兴，就游开去玩了。鲤鱼妈妈忙叫住它们说：“宝贝们，你们不要游远了。冰下面的水虽然不太冷，但水里的空气不多。我们要静静地休息，少游动。”

　　小鲤鱼们听了妈妈的话，赶紧说：“知道了，知道了。”

鸭子为什么会游水？

小松鼠在树上采松果，一个不小心，哎呀，松果掉到小河那边去了！

小松鼠看见河边有一只大公鸡，就喊着说："公鸡伯伯，麻烦您，请您游过河去，给我拾一拾吧！"

大公鸡说："孩子，我不会游水。我来请花鸭子给你拾吧！"

大公鸡招呼花鸭子过来，花鸭子说："好！好！"它跳到河里，游过去，把松果衔来了。

小松鼠谢谢花鸭子，吃了松果，回去了。

过了一会儿，小松鼠拿着一张纸，到小河边，坐在那里画画。

花鸭子看见了，游过来问它："小松鼠，你在画什么呀？"

"我在画你为什么会游水，公鸡伯伯为什么不会。"小松鼠说着，把图画给花鸭子看，"公鸡伯伯的脚长，生在肚子底下当中。你的脚短，生在肚子底下后面。还有，你的尾部油特别多，涂在羽毛上，不会给水打湿。花鸭子叔叔，你说对吗？"

　　花鸭子看着图画，点点头说："对是对，不过，你没有把最最重要的画出来。"

　　"你瞧，我身上的羽毛，又密又厚又轻松，在水里像只小船，会浮在水面上。我的脚趾上生着的皮，叫作'蹼'，在水里一划一划，就可以游来游去。"

　　小松鼠现在知道了，鸭子为什么会游水。它把这两点最最重要的，也画在了纸上。

啄木鸟怎么知道树里有虫？

一棵苹果树生了病：一个丫枝上的叶子枯黄了。啄木鸟医生飞来一看，说："让我来给你检查检查。"

它两只脚站在笔直的树干上，用尾巴上的硬羽毛顶住身体，就像一个三脚架子，站得很稳。

"笃笃笃……"它用坚硬的嘴，在树干上东敲敲，西敲敲。那声音是结结实实的，啄木鸟知道，里面没什么毛病。于是，它又换个地方敲起来，一面敲，一面仔细地听着。

"毛病在这里呢！"啄木鸟说，"我来给你动手术！"

　　苹果树又惊又喜："啄木鸟医生，你怎么知道毛病在这里呀？"

　　"你听！"啄木鸟说着，又在老地方敲了一遍，"这里，敲起来，声音是空洞洞的，因为里面躲着一条虫，把树干蛀了个空洞。"说完，它用硬嘴啄破树皮，又用细长的舌头伸进去，钩出一条胖胖的虫来。

　　苹果树的病好了，丫枝上长出了碧绿的新叶。

热天，狗的舌头为什么伸出来？

太阳当空照着，连一丝儿风也没有。

马拉了一车货物回来，热得满身是汗。路上，它遇到一条狗，正伸出舌头，不住地喘气。狗对马说：

"马啊，你的身上怎么会湿漉漉的？"

"这是我出的汗。"马回答，"天气太热了，幸亏出些汗，把我身体里的热散发出来；要不，真要热死啦！"它看看狗的身上，却一滴汗也没有。

"奇怪，这么热的天，你不出汗，不觉得热吗？"马问。

狗伸伸自己的舌头，说："我在舌头上出汗呢！"

马一看，果然，狗的舌头尖上正在冒汗呢。

北极熊为什么不怕冷？

　　小天真、小问号跟着动脑筋爷爷走进一个房间。突然，他们觉得身上很冷，小天真冷得嘴唇都发抖了。这里为什么这样冷呀？原来，老爷爷把他们带进的是冰房子，墙壁、屋顶都是用冰块做成的。动脑筋爷爷怕他们冻坏，给他们穿上了很厚很厚的棉大衣，嘴里还唱着：

　　"住在冰房子里的是谁？是北极熊。

　　在雪地里走来走去的是谁？是北极熊。

　　在冰水里洗澡的是谁？是北极熊。

　　最最不怕冷的是谁？"

　　小天真刚想说"是燕子"，一听北极熊在冰水里洗澡，就回答："是北极熊！"

　　"北极熊的家乡在寒冷的北极。

　　北极熊一点也不怕冷，因为它身上穿着一件很厚很厚的皮大衣。在它的皮下面还有厚厚的一层脂肪。

　　北极熊年纪很小的时候，就能在寒冷的水里游泳。"动脑筋爷爷接着说。

燕子为什么春天飞来，秋天飞去？

　　他们走出冰房子的时候，小问号说："我想起来啦！北极熊不怕冷；燕子一定很怕冷，所以秋天一到，它们就要飞到暖和的南方去过冬，对吗？"

　　"你只讲对了一半，"老爷爷说，"燕子到南方去过冬，并不单单因为怕冷，主要是为了找小虫吃。天冷了，小虫渐

渐少了，燕子没有虫吃，可怎么行呢！这时候，南方天气还很暖和，虫子很多，它们飞去，可以在那边快乐地生活。"

小天真问："那么，春天到了，它们为什么又要飞回来呢？"

老爷爷说："春天来了，天气渐渐暖和起来，燕子爱吃的虫子越来越多，所以它们又回到老家来啦。"

小问号说："它们每年都这样飞来飞去吗？"

"对，"老爷爷说，"天气热了冷，冷了热，它们飞去又飞来，因此叫作'候鸟'。"

大雁为什么排成"人"字形或"一"字形飞行？

"大雁也是候鸟，对吗？"小问号问。

动脑筋爷爷说："对的，到了秋天，北方的天气渐渐变冷，大雁也是因为吃的东西少了，要一起飞到南方去过冬。"

"那大雁飞的时候，为什么要排成'人'字或者'一'字形呢？"小问号又问。

"这个问题问得很有趣。好，我就给你们讲个大雁飞行的故事。"

那是一只最大的大雁，身体很结实，它对大家说："我们要飞到南方去过冬啦，要整天整天地飞，飞一个多月呢，靠自己的力气是不够的，必须互相帮助。大家排成'人'字形或者'一'字形的队伍，跟在我后面飞，这样才能飞得远，飞得快。"

一只小雁，也在队伍里。它还是第一次飞这样远的路呢。"哈！真有趣。多么整齐的队伍呀！"

小雁飞呀飞的，它想飞到前面去看看。一离开队伍，身体忽然变得重了，不住地往下掉。它赶快回到队伍里，真奇怪，身体马上轻快得多了，好像有一阵风轻轻把它托起。原来前面的大雁在扑扇翅膀飞的时候，翅膀尖儿扇起一阵风，风从下面往上面送，就把小雁轻轻抬起来了。

小问号和小天真听完故事，都说："哦，原来是这个道理！"

传说中的龙是恐龙吗？

　　动脑筋爷爷带着小问号和小天真去参观自然博物馆。
走进大厅，灯光下有一个大骨架，头小尾巴长，身体有
二十多米长，十多米高。这是一个恐龙骨架。
　　"传说中的龙是恐龙吗？"小天真问。

小问号正想说话，灯熄了。一会儿，前面的大屏幕亮了，只见一片丛林中，站着一只高大的动物，说："神话传说中的龙，世界上从来没有。我们恐龙，生活在二亿三千万年前。我们的种类很多，有霸王龙、鸭嘴龙、剑龙、梁龙……有的很高大，有的像只小鸡，有的背上长'刺'。

　　"我们有的喜欢吃树叶和嫩芽，有的爱吃肉。后来，地球发生了巨大变化，在六千五百万年前，我们灭绝了，从地球上消失了。"

　　接着他们又看了各种各样的恐龙标本。

马为什么站着睡觉？

　　他们来到了哺乳动物展区。一匹大马半闭着眼睛，好像在睡觉。"马是站着睡觉的吗？"小问号提了一个问题。

　　老爷爷笑着说："我给你们讲个故事吧！"

　　农场里，花猫把耳朵挤在前脚下，在屋檐下"呼噜、呼噜"地睡着。白马轻轻地走向花猫，花猫突然站了起来，竖起尾巴，显得十分生气。

　　白马说："你这么睡觉，不怕耳朵压痛吗？"

"不。"花猫说，"我把耳朵贴紧地面，谁向我走来，远远地我就能听到地面震动的声音。你看，你还没走近我，我就醒了。你是怎么睡觉的？"

"我站着睡觉。"

白马又走到院子门口，那儿有一只黄狗也在睡觉，嘴巴藏在前脚下。黄狗闭着眼，说："白马，你来干吗？"

"你睡觉时，为什么把嘴藏在前脚下？"白马问。

"我用鼻子警惕四周的情况。你没走近，我早嗅到你的气味了。"黄狗说，"你是怎么睡觉的？"

"我站着睡觉。"

夜里，有狼嚎的声音，白马不见了。花猫和黄狗为白马的安全担心。可是，第二天早上，白马回来了。它说："我没有尖利的牙齿和脚爪，怕猛兽伤害，所以站着睡觉，这样，一听见猛兽的声响，我就可以立刻撒腿奔跑，它们追不上我。"

牛不吃草时，嘴里为什么还在嚼？

　　大马旁边站着一头牛，嘴巴一嚼一嚼地在吃草。老爷爷说，"我再给你们讲个牛吃草的故事吧！"

　　小牛舒服地躺在地上，嘴里嚼着什么。小狗请它去玩，小牛摇摇头。小狗说："今天大伙儿跳舞，多有劲。"

　　小牛说："我在吃草呢！"小狗没趣地离开了。

　　小鹅走过来，请它一起跳舞去。小牛的嘴边嚼边说："我在吃草呢！"

　　"你骗谁？"小鹅生气地走了。

小羊是小牛的好朋友，也来请小牛去跳舞。小牛从嘴里吐出一团热腾腾的青草，说："我刚才在草地上吞下了许多草，到这里吐出来，慢慢地细嚼。我有4只胃……"究竟是怎么一回事，小牛自己也说不清楚。

　　牛妈妈恰巧来了，接下去说："我们把青草吞进第一个胃，经过发酵在下一个胃加工，变成小团，送回嘴里嚼细了，送到第三个胃把草磨碎，最后在第四个胃里消化。"

　　小牛把青草嚼完，跟小羊一起去跳舞了。

袋鼠妈妈为什么身上长口袋？

故事讲完了。小问号和小天真听得不过瘾，央求动脑筋爷爷再讲一个。

动脑筋爷爷只好又讲了一个故事：袋鼠妈妈和小宝贝。

母袋鼠坐着，呆呆地望着天边。牛妈妈说："恭喜你，快做妈妈了。"

"我不知道孩子生下来该怎么办？"

牛妈妈安慰它："放心，有什么困难，你招呼一声，我会来帮忙的。"

晚上，母袋鼠生下了小宝贝。第二天早上，牛妈妈去看望它。母袋鼠昏昏沉沉地说："我的小宝贝好吗？"

　　牛妈妈揭开母袋鼠的育儿袋，说："小宝贝像个肉疙瘩，狠命地吃奶，多可爱呀！"

　　"小宝贝挺乖，是自己爬进袋里的。我们的孩子长得很小，只有在温暖舒适的育儿袋里，才能很好地成长。"母袋鼠笑着说。

　　几天后，母袋鼠站在草地上，用短短的前肢搂草吃。牛妈妈见了，说："你把小袋鼠留在家里了？"

　　"不，我带着小宝贝……"母袋鼠说着，小宝贝从袋口探出头来，"吱吱"地叫，逗得它俩哈哈大笑。

　　小宝贝渐渐长大，会吃草了。这天，母袋鼠和牛妈妈聊天，不远处传来几声枪响，小宝贝立刻跳进妈妈的育儿袋。母袋鼠用后肢蹦跳，一跳 7 米多远，一会儿连影子也不见了。

骆驼为什么有那么高的驼峰？

　　小天真看见前面有两座小山峰，走近一看，原来她把矮树后的一头骆驼的驼峰，看作山峰了。小问号提出问题："骆驼为什么有那么高的驼峰？"动脑筋爷爷讲了个故事。

　　小骆驼的朋友小鹿的背上平平的，可它是驼背，多丑呀！小骆驼吵着要妈妈帮它割除驼背。妈妈说："驼峰曾经救过我的性命呢！我小时候，也讨厌凸起的驼峰。爸爸讲驼峰是

有用的，我不信。有一次，爸爸叫我送好吃的东西到外婆家去。半路上，我遇见了几只狼，它们从四面向我包围过来。幸亏沙漠里刮起大风暴，我伏倒在地上不动，风沙把狼群刮得不知去向。可是，我迷路了，走来走去也找不到外婆家。3天3夜后，外婆它们才找到我。外婆说，因为驼峰里储存了许多脂肪，供我慢慢消耗，我才没有饿死。"

小天真说："我也希望像骆驼一样，有个高高的驼峰，可以到沙漠里去旅游。"

猫的眼睛为什么会变？

动脑筋爷爷邀请小天真和小问号来做客。老爷爷的小花猫在门口"喵喵"叫，欢迎两个小朋友。老爷爷讲了个小花猫的故事。

中午，小黄狗看见了小花猫，说："你好像跟昨天晚上不一样了。"

小花猫问："有什么不一样？"

"昨天抓老鼠时，你的眼珠圆圆的，像两个小球。现在眼珠怎么变成线了？"

傍晚，小黄狗又遇见了小花猫。他看看小花猫的眼睛，嚷了起来："你的眼睛怎么又变了？不是圆球，也不是一条线。这会儿，变得像枣核儿了。"

小花猫笑笑说："中午，太阳光很亮，我眼睛里的瞳孔会收拢，缩成一条缝。晚上很暗，瞳孔就放大，好让我看清东西。"

"那么，现在为什么又变成枣核儿模样呢？"小黄狗急忙又问。

小花猫笑起来："这还用问！早晨和傍晚不太亮也不太暗，瞳孔放得不很大，缩得也不很小，眼珠就像枣核儿了。"

"哎哟，你的眼睛能当钟表使呢！"

"不能当钟表使，因为晚上在强烈的灯光下，瞳孔也会收缩成一条线的。"小花猫回答说。

小问号听完小花猫和小黄狗的对话后想到一个问题："公鸡为什么在一定的时候打鸣呢？"

老爷爷说："我的故事还没有讲完呢，你接下去听吧！"

公鸡为什么在一定的时候打鸣？

　　小花猫对小黄狗说："公鸡的身体里倒真有钟表呢！它在一定的时候打鸣，人们听见鸡叫，就起床、吃饭、种地……"

　　公鸡说："小花猫说得对。我按时唱'喔喔喔'歌，这是因为我身体里有一只钟，叫'生物钟'。它准确地告诉我天亮了，该叫人们起床了；中午了，该提醒人们做饭了……"

　　小黄狗听呆了，突然，听到谁在旁边用很好听的声音说："我们也有'生物钟'的呀！"这是木栅边的花草在说话。

　　"我在早晨开花。"牵牛花说。
　　"我在中午开花。"太阳花说。
　　"我在下午开花。"南瓜花说。
　　"我在傍晚开花。"紫茉莉说。
　　"我在晚上开花。"夜来香说。
　　"我在月亮光下开花。"月光花说。
　　啊，真的，它们身体里都有钟——"生物钟"！

孔雀为什么会开屏？

　　动脑筋爷爷家中有一幅画：一只孔雀在开屏，美丽极了。老爷爷就给他们讲了一个孔雀的故事。

　　草地上，一只美丽的孔雀，一遍又一遍地练习唱歌。"1351、1531……"对面是高山，随着孔雀的歌声，响起粗糙刺耳的回声。森林联欢会的日期越来越近，孔雀心里挺着急。

　　"孔雀，你练唱歌吗？"乌鸦问。

　　"……"

　　"你的喉咙像只破竹管，联欢会上要吓坏听众的。"

　　"去你的！"

"孔雀，别伤心！"黄莺同情地说，"你的身段苗条，有一套五彩的舞衣，最好是练习舞蹈。"

　　孔雀感激地望着黄莺，从此练起舞蹈来。

　　联欢会上，孔雀登台表演。它移动舞步，翩翩起舞。最后，它突然高翘尾部，竖起一道色彩绚丽的屏风。那布满五彩金翠的圆斑，像星星，像眼睛，闪烁发光，使观众眼花缭乱，引起一片喝彩叫好声。在大伙的热烈要求下，孔雀接连表演了三次开屏。

　　故事讲完了。老爷爷说："只有雄孔雀才会开屏，因为它尾巴上的羽毛有一米多长，能形成尾屏。雄孔雀开屏，是要引起雌孔雀的注意。可有时当它受惊或碰到敌害时，也会开屏。"

鹦鹉为什么会说话？

　　小问号和小天真到公园去玩，公园门口有一只绿鹦鹉，见了他们就说："再见！再见！"

　　小天真说："鸟会说话。真奇怪！"小问号说："是奇怪，我们刚来，为什么说'再见'呢？"

　　他们朝公园里走去，树上有一只白鹦鹉，见了他们大声说："对不起！对不起！"

　　小天真说："我们别进去了。这里的鹦鹉不让我们来。绿鹦鹉不说'欢迎'说'再见'。白鹦鹉又大声说'对不起'，意思是叫我们不要往前走了，请我们原谅呢。"

小问号听了，留神看看，两只鹦鹉对别的游客也是这么说的，可别的游客照样往前走。他们边走还边朝着鹦鹉哈哈笑呢。

走到假山前，一只红鹦鹉对他们说："你好！请！"

小天真高兴了，说："你好！你好！"

他们走着走着，在花坛旁看见一只黄鹦鹉。小天真只顾看它，脚被绊了一下，跌进花坛去了，压断了一枝花。黄鹦鹉见了，连说："谢谢！谢谢！谢谢！"

小天真涨红着脸爬起来，拉着小问号急急忙忙地去问动脑筋爷爷："为什么鹦鹉会说话？为什么绿鹦鹉一见面就说'再见'？为什么黄鹦鹉见我压坏了公园的花还说'谢谢'？"

老爷爷笑着说："鹦鹉的舌头肉多，又尖细又柔软。所以人们把它捉来教它说话。它只会照着教它的几个音节，说简单的话。它不知道自己说的是什么意思，见着人来就乱说，让人听了发笑。"

壁虎断了尾巴怎么办？

　　几只壁虎爬出来活动。它们的背部呈暗灰色，夹杂着一条条黑带子，拖了个长尾巴，样子难看极了。

　　动脑筋爷爷讲了一个壁虎的故事。

　　傍晚，屋角的墙上，有一只壁虎伏着不动。它等蚊子、小虫停住或飞过，张口吞吃。现在，它正侧转头，听着小黄莺唱歌。

　　小黄莺专心唱歌，眼睛远望着碧绿的树林，什么都忘记了。壁虎听见墙上轻轻的响动，仔细一看，是只老黄猫，悄悄地爬呀，爬呀，爬近屋角，想捉小黄莺当

点心吃，正要……

　　老黄猫的长尾巴，给壁虎碰了一下，忍不住"啊呜——"惊叫一声。小黄莺听见猫叫，扑扇翅膀连忙飞走。

　　老黄猫回过头来，用尽力气扑过去，只抓住一条尾巴。壁虎的尾巴，断了。

　　过了一些时候，小黄莺来谢谢壁虎，找呀找，找不到它。一只壁虎凑上来说，"你找断尾巴的壁虎吗？我就是。我们壁虎断了尾巴，会长出一条新尾巴。不要惊奇，这叫作再生！"

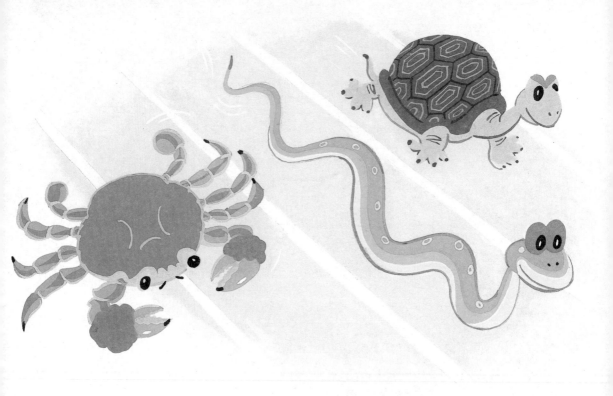

蛇没有脚，为什么能爬行？

　　动脑筋爷爷在前面走，用手杖拨开路边的野草，说："这叫打草惊蛇。"真的，有条蛇迅速地游走了。小问号问："蛇没有脚，为什么能爬行？"小天真回答："蛇的身体光滑，游得快。"老爷爷说："并不是这样，我来讲个故事吧。"

　　三条跑道，三位运动员：蛇、乌龟和蟹。小象是它们的裁判。蛇一声不响。乌龟心里想：蟹的脚多，会乱跑，蛇没有脚一定跑不快，我慢慢地爬，也会跑个第一。蟹神气活现地高举大螯，自以为脚多稳得冠军。

小象的发令枪"砰——"地一响，运动员开始跑了。观众们热烈地喊着："加油！加油！"蛇那细长的身体，作"S"形前进。蟹的八只脚忙着横跑，没几步就越出了跑道，被取消比赛资格。观众们大嚷："乌龟，加油！"

　　乌龟十分兴奋，使劲地爬呀爬呀，刚爬了短短一段路，蛇已经游到终点了。

　　记者小鹿问蛇："你没有脚，怎么游得这样快？"

　　蛇回答："我的肋骨跟腹部的许多鳞片相连。肋骨向前移动，鳞片的尖端踩住地面，推动身体很快前进。"

　　小问号说："蛇的腹鳞尖端像脚一样呢！"

乌龟为什么寿命长?

小天真把一个木盒交给老爷爷,请他猜猜里面有什么动物。动脑筋爷爷摇摇木盒,听听声音,又用鼻子嗅了嗅,说:"一只乌龟。"小天真打开盒盖一看,咦,果真是一只乌龟。盒子里还有一张纸条写着乌龟的年龄是 123 岁。

小问号说:"乌龟为什么寿命长?"

老爷爷不回答,用手拨动乌龟。乌龟立刻把头部、4 只脚和尾巴缩进硬壳。小问号想了想说:"乌龟有硬壳,能够保护自己。"

"这说对了。"动脑筋爷爷说，"不过它最大的本领，要数耐渴耐饥。曾经有一位工人，挖下水道时发现一只50年前的乌龟，但它几小时后就会爬动了。说明那乌龟50多年不喝不吃，也没有死。"

　　"乌龟的行动为什么这么缓慢？"小问号问。

　　"它是懒惰的动物。"小天真说。

　　"那倒不是懒惰，它背着重重的硬壳，行动慢了，消耗的体力也少。还有，乌龟是一种冷血动物，身体冷冰冰的，还可以耐饥。所以，有的乌龟，能活二三百年呢！"

为什么蚌里会长珍珠？

动脑筋爷爷带着小问号和小天真去海边度假。

在海滩上，他们戴上眼镜和耳机。老爷爷说："你们悄悄地看和听，千万不能说话。"

蚌姐姐和蚌弟弟在海滩上休息，微微张开的壳里，透出珍珠晶亮的光彩。一群鱼儿游来欣赏，一条弹涂鱼说："你们蚌都会长珍珠吗？"

"不。"蚌姐姐讲了姐弟俩长珍珠的经过：

一天，蚌弟弟突然觉得身体里又痛又痒，鲤鱼医生检查后说："是泥沙进入了身体里。"医生叫它用水冲洗了一下，然后再进行 X 光透视。

　　"还有一粒沙子，不过你会分泌一种珍珠质，把沙子包住的。"

　　几天后，蚌姐姐也觉得身体里有东西在爬，鲤鱼医生对它 X 光透视后，说："你身体里面长了一条寄生虫。"蚌姐姐吓了一大跳。

　　"不用怕，"鲤鱼医生说，"你身体里分泌的珍珠质，也能包住虫子。当珍珠质一层又一层包住沙子或虫子后，就会变成圆圆的晶晶亮的珍珠呢！"

　　过了许多时候，姐弟俩果真都长出了珍珠。

　　小天真"嗯"一声，把鱼儿都惊走了。他说："我要吞下许多粒沙子，变出许多珍珠。"

　　"你又不是蚌！"小问号说。

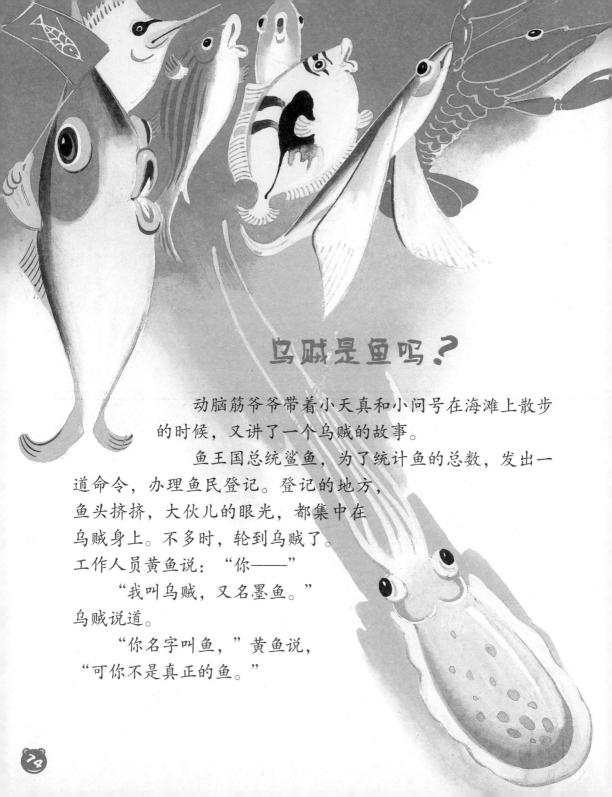

乌贼是鱼吗？

　　动脑筋爷爷带着小天真和小问号在海滩上散步的时候，又讲了一个乌贼的故事。

　　鱼王国总统鲨鱼，为了统计鱼的总数，发出一道命令，办理鱼民登记。登记的地方，鱼头挤挤，大伙儿的眼光，都集中在乌贼身上。不多时，轮到乌贼了。工作人员黄鱼说："你——"

　　"我叫乌贼，又名墨鱼。"乌贼说道。

　　"你名字叫鱼，"黄鱼说，"可你不是真正的鱼。"

"鱼生活在水里,我也是。"乌贼不服气地说。

"是的。"黄鱼回答。

"鱼会游泳。我的游泳本领强,会前进也会后退。"乌贼又说。

"不错。"黄鱼回答。

"那就让我登记。"乌贼喊道。

"不,你没有脊椎。"黄鱼一口拒绝。

"谁说没有,我身体里也有脊椎。"乌贼强辩道。

"你那叫内壳,不是脊椎骨。而且,你利用头部下漏斗,喷水游动,而鱼靠鳍游泳。你有这器官吗?"说着,黄鱼头部的鳃盖一张一闭,不停地排出水来。

乌贼给问住了。它喷出一股浓黑的墨汁,把水搅浑,趁机一溜烟地游走了。

鱼为什么能在水里生活？

小问号说："鱼为什么能在水里生活？"

"鱼喜欢在水里生活嘛！"小天真说，"水里有小虾、小虫、水草和碎屑等，够它们吃个饱。"

动脑筋爷爷说："的确，水的世界比陆地大得多，有丰富的食物。"

　　小问号又问："鱼的身体，怎么有的像纺锤，有的像棍棒，还有的是扁平形的？"

　　"鱼的身体形状各异，都是为了适应水里的生活。鱼要觅食，搬家，活动，躲避敌害，必须会游泳。鱼那薄薄的鳍，就是用来游泳和保持身体的平衡。"老爷爷在纸上画了一条鱼，一一说出鱼鳍的名称：胸鳍、腹鳍、背鳍、臀鳍和尾鳍。

　　小天真嚷着说："鱼的尾巴叫尾鳍。"

　　动脑筋爷爷问："鱼怎么呼吸空气？"见孩子们没有反应，他又说下去，"水里也有氧。鱼生了一种特殊的器官——鳃，用鳃呼吸水里的氧气。"

　　小问号说："鱼的身体上，满是滑溜溜的黏液，使鱼在水里减少摩擦，游得更快。"

　　动脑筋爷爷捋捋胡须点点头。

鲸为什么会喷水柱？

一条大"鱼"搅动海水，掀起汹涌的波浪。忽然，它的头顶上，升起一股高大的水柱。

"这是什么？"小问号好奇地问。

"是鲸鱼在喷水柱。"小天真说。

"鲸鱼一定是海里最大的鱼。"小问号看呆了。

"鲸可不是鱼！"小天真说。

小问号把手一指："鲸的身体，就像鱼一样。"

动脑筋爷爷摇摇头："鲸的样子像鱼，却不是鱼。海面上升起了水柱，是它在呼吸。鱼用鳃呼吸，鲸用肺呼吸，水柱是鲸喷的水汽。大鲸不产卵，生出来就是小鲸，叫胎生。"

"可是，鲸的鳍跟鱼差不多呀。"小问号不服气地说。

"鲸的鳍，外形和鱼鳍相似，但骨头的构造，却和猪、羊的脚相像，我画个图给你们看。"

　　两个孩子看了图，懂了。可是小问号又问："鲸为什么生活在海洋里呢？"

　　"问得好。鲸的祖先，是在陆地上生活的。后来，因为环境变化，搬到海里去住，日子久了，长得就像鱼的模样了。"

蜻蜓为什么点水？

清澈的小河边，一只红蜻蜓飞近水面，把尾巴往水中轻轻一点，飞走了。它飞了一会儿，又是轻轻一点……

小问号说："蜻蜓为什么要点水？"

小天真说："蜻蜓口渴，要喝水。"

小问号说："不对，尾巴是不能喝水的。"

于是，动脑筋爷爷讲了个故事：

小猫在河边钓鱼，看见蜻蜓点水，就问蜻蜓："你把尾巴伸到水里干什么？"

蜻蜓打趣地说："钓鱼呗！"

小猫说："用尾巴钓鱼？没听说过。"

蜻蜓说："不信你试试。"小猫半信半疑，试着用尾巴钓鱼，半天也没有钓着鱼。它回去问猫妈

妈："蜻蜓说尾巴能钓鱼，是
真的吗？"

　　猫妈妈说："傻孩子，你看见蜻蜓
点水了吧？我们到河边去看看。"

　　来到河边，猫妈妈指着一只小虫子说：
"这是蜻蜓的宝宝，它叫'水虿'，一点
不像蜻蜓，长着3对脚，没有翅膀，它要在
水中生活一两年，长大了，蜕了皮才能变成
蜻蜓，飞向天空。'水虿'在水中，吃浮游
生物，吃蚊子的幼虫子孑，从小就除害虫，
做好事。"

　　小猫说："我知道了，蜻蜓点水是在
水面生下小水虿。"

　　猫妈妈说："不！蜻蜓点水是在
产卵，水虿是从卵里孵化出来的。"

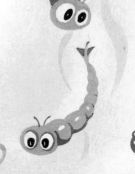

小鳗鱼为什么能吃大鲤鱼？

　　动脑筋爷爷说："你们想听小鳗鱼吃大鲤鱼的故事吗？我来讲一个。"

　　天气闷热，鱼儿们游近水面。大鲤鱼大声说："谁能够跳出水面？"

　　跳出水面，这多有趣呀，可谁也没有这么大的本领。大鲤鱼向上一跃，跳出水面1米多高，又摔进水里。在喝彩声中，大鲤鱼来了劲，接连跳跃9次。最后一次，没听到喝彩声，它正奇怪，乌龟靠近它说："八目鳗来了，快躲开！"

"大鲤鱼，你的跳水本领，是鱼王国第一！"八目鳗说。

大鲤鱼打量着对方的个子，比自己小得多，心里想：我不怕。

"你像一只大轮船。"八目鳗说，"请你带我去旅游。"

"你的身体滑溜溜的，这可不行。"

"行呀！"八目鳗说着，用圆嘴吸住大鲤鱼的腹部。伸出有许多牙齿的舌头，咬破大鲤鱼的皮，吃肉吸血。大鲤鱼拼命想甩掉八目鳗，可是不行，不久就死了。

小天真问："八目鳗真的生8只眼睛吗？"

动脑筋爷爷回答："从侧面看，有8只眼睛。其实，它只生了2只眼睛，其他是鳃孔，是帮助呼吸的。"

83

蝙蝠怎样捉虫子？

小问号说："蝙蝠能捉蚊子，但它是个瞎子。"

小天真说："瞎子会捉蚊子？我不相信。"

"小问号说得对。"动脑筋爷爷说，"我来讲个故事吧。"

天色暗了，小蜘蛛躲在屋檐下，守住一张网。几只蚊子"嗡嗡"地飞过来，粘在网上。小蜘蛛拍手大叫："妈妈，我们捉虫的本领大！"

蜘蛛妈妈指着空中飞的蝙蝠说："孩子，它们才是捉虫能手呢！"

"妈妈，那是什么鸟？"

"那不是鸟，是蝙蝠。它们的本领大，最快半秒钟可以捉到两只虫。"

柳树上站着一只燕子，看见蝙蝠盘旋飞过，招呼说："蝙蝠大哥，歇一会儿吧。你捉虫那么快，一定是千里眼。"

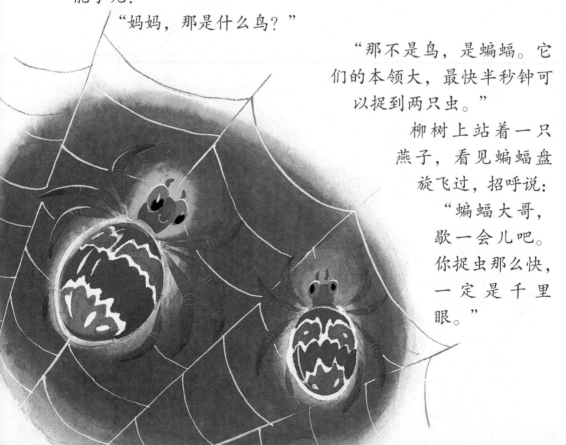

蝙蝠倒挂到树枝上。"哈哈，我的眼睛，看东西不很清楚。"

"你怎么能准确地捉虫的？"

"我的眼睛不管用，是用耳朵来'看'呢。"蝙蝠摇摇头说。"我的喉咙，能产生超声波，从嘴或鼻孔发射出去，碰到障碍或虫儿反射回来，是障碍就避开，是虫儿就捉住。"

有只小虫飞过来，蝙蝠说声"再见"，一个俯冲，小虫立刻给捉住了。

蜜蜂为什么要跳舞？

花丛中，几只蜜蜂飞来飞去，像是在跳舞。小问号感到很奇怪："蜜蜂跳舞是因为喝了甜甜的花蜜心里高兴吗？"老爷爷笑了，"听我给你们讲个故事吧！"

小蜜蜂渐渐长大了。"工蜂教练"教小蜜蜂怎样寻找花丛，怎样采蜜，怎样传播花粉，帮助植物结出果实。

工蜂教练说："我们出去采蜜，要找到花丛，要飞很远的路程，为了不迷路先得学会辨别方向。谁能想出辨别方向的好办法来？"

小蜜蜂说："太阳公公为我们指方向。"

教练说："对，认准太阳公公的位置就不会迷路了。那么，我们发现了花蜜，怎样告诉同伴花蜜离开家里有多远？"

小蜜蜂说："我们可以用舞蹈动作来表示。"

教练说："对，我已经编好了一套'舞蹈语言'，现在大家跟我学。"说着，工蜂教练一面做舞蹈动作，一面讲解。它先飞了几个圆圈，转个方向，又飞个圆圈。

"这叫'圆圈舞'，意思是离家大约50米的地方有花蜜。"

接着，教练飞了个"∞"字形路线，尾巴还不停地扭动。

"这叫'∞字摆尾舞'，意思是发现了蜜源。如果花蜜在6千米以外，你就每分钟飞6个∞，尾巴要扭动得快，扭动的次数越多，表示距离越远。如果蜜源在近处，比如离家200米左右，那就加快飞∞字摆尾舞，每分钟飞上30多个，但尾巴扭动的次数要少些、慢些，记住了吧？"

"记住了。"小蜜蜂们齐声回答。

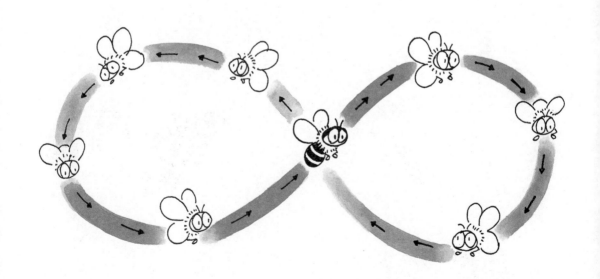

麦穗怎么会生病？

　　这天早晨，在动脑筋爷爷那里，小问号和小天真问这问那，问个不停。动脑筋爷爷耐心地回答着。

　　忽然，警报声响了！

　　动脑筋爷爷说："奇妙的植物园里出了什么事啦？"他急忙拉着两个孩子，走了出去。

他们走进奇妙的植物园，在麦田旁停下了，只见麦穗个个饱满，看不出什么。还是小问号细心，找呀找，找到一株黑色的麦穗,她问："老爷爷,麦穗怎么会变黑？是不是病了？"

老爷爷说："对,这株麦穗生了病,怪不得警报响了。现在,我们先把黑麦穗拔掉吧！"

小问号和小天真把黑麦穗拔了，拿在手里。

"这叫黑穗病。"动脑筋爷爷把麦穗一捏，许多黑色的粉末，落在手心里。小天真抢着说："麦子生了黑穗病，就不会结麦粒了。"

"对。"动脑筋爷爷说，"最可恶的是，这些黑色的粉末，会被风吹到各处去。好的麦穗粘上了，如果以后把它当种子种下去，也会生黑穗病的。我们再找找，还有没有其他生病的麦穗。"

在找黑麦穗时，小天真想起，这里为什么叫作奇妙的植物园，问动脑筋爷爷。老爷爷说："在这个植物园里的各个地方，气候不同：有夏天，有秋天，也有冬天和春天。等一会儿，你们会知道的。"

水稻浸在水里，为什么不会烂掉？

动脑筋爷爷和小问号、小天真来到稻田旁。

小问号感到很奇怪，"麦田里没有水，水稻田里为什么要浸水？"

小天真抢着回答："叫水稻嘛，它当然喜欢水！"

小问号接着问："水稻田浸水，稻子为什么不烂掉？"

小天真答不上来，支支吾吾地说："它喜欢水，当然……"

动脑筋爷爷笑着说："小天真，别'当然当然'了。这要从水稻的老祖宗说起。它的老家，在南方的浅水里，那里又温暖又潮湿。日子久了，它养成了喜欢水的脾气。"

　　小问号又问："我们也喜欢喝水，可也不能一天到晚，老是喝水啊！"

　　动脑筋爷爷接着说："水稻的根是嘴巴，叶子是排水管。它一刻不停地喝水，也一刻不停地排出，身体里就不会有太多的水。"

　　小天真不明白了，"那么麦子呢？它不爱喝水吗？"

　　动脑筋爷爷捋了捋胡子，"不是的，麦子也喝水，但是它和水稻不一样。水稻有耐水的本领，它的根浸在水里，不会闷死。麦子就不行了，田里水多，它透不过气来，时间一久，就会腐烂。"

向日葵为什么朝着太阳转？

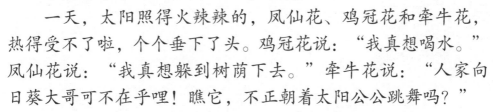

红红的太阳，慢慢地升高了。小问号和小天真，看见向日葵朝着太阳转，觉得很奇怪。

动脑筋爷爷给他们讲了一个故事：

一天，太阳照得火辣辣的，凤仙花、鸡冠花和牵牛花，热得受不了啦，个个垂下了头。鸡冠花说："我真想喝水。"凤仙花说："我真想躲到树荫下去。"牵牛花说："人家向日葵大哥可不在乎哩！瞧它，不正朝着太阳公公跳舞吗？"

呵，真的哩，向日葵的圆脸儿紧紧地跟着太阳转，太阳从东到西，它也从东到西。

鸡冠花说："向日葵大哥，你真不怕热，还朝着太阳跳舞。人家可热得受不了啦！"

向日葵笑笑说："快别埋怨，要没有太阳公公，咱们还能生长？我可不是在跳舞。你不知道，我的花盘后面，有许多名叫'植物生长素'的小家伙，它们在跟太阳公公玩捉迷藏哩！"

凤仙花听到这里，打起精神问："咦，怎么个玩法？"

向日葵说："这些小家伙，可淘气哩，一看到太阳公公，它们就躲在花盘后面硬把花盘朝着太阳公公扭，所以我就总是朝着太阳公公了。瞧，说着说着，我的花盘又要转动了。再会啦，花姑娘们！"

豆子、油菜籽、芝麻、花生为什么可以榨油？

田里的油菜籽，一荚荚渐渐变成黄色，动脑筋爷爷说："油菜籽快成熟了！"

小问号问："油菜籽为什么可以榨油？"

小天真说："有油嘛，就可以榨油。"

动脑筋爷爷笑笑，问："你们可知道，种子里的油有什么用？"

小天真抢着回答："给我们炒菜炸鱼片吃呀！"

老爷爷摆摆手说："不对！不对！现在，我让种子自己回答你们吧！"

他们走进屋子，老爷爷拿出一个奇怪的盒子，又拿出一颗豆子、一颗油菜籽、一颗芝麻、一颗花生，把它们放在盒子里，摇一摇。突然，盒子里发出细小的声音，它们在说话了：

　　"我们都是些小种子，芝麻是个小不点儿，花生是大个子。

　　"我们快要到泥土里去，发芽长叶子。

　　"我们带着脂肪，免得到那时候饿肚子……"

　　小天真凑在老爷爷耳朵边问："脂肪是什么呀？"

　　老爷爷把奇怪的盒子又一摇，里面没有声音了。

　　"脂肪从植物籽儿里榨了出来，就是我们吃的油呀。"

　　小天真有点不好意思："原来它们准备着自己吃的。"

　　小问号问："有些种子不能榨油，是不是它们没有脂肪？"

　　老爷爷说："脂肪少的就榨不出油来，能榨油的种子里脂肪也有多有少。这四种种子，它们的脂肪都是比较多的。"

墙顶的草是谁播种的？

植物园的墙顶上，长满了各式各样的小草和野花。小天真问："小问号，你知道吗？谁在这里的墙上种的花草？"

小问号说："谁也不会去种，一定是它们自己长出来的。"

小天真不相信,他说:"这一定是动脑筋爷爷种的。老爷爷,是吗？"

动脑筋爷爷笑了笑，说："我没有种。可是它们也不是自己长出来的。"

　　这时，墙顶上有两只小鸟跳着叫着。动脑筋爷爷指指它们说："小鸟会把种子带来的。"忽然，一只大黑猫跳上墙去，小鸟"扑"的一声飞走了。他接着说："有些种子，粘在动物的身上，动物带着种子，到处播种！"

　　小天真说："播种的可不少呀！"

　　动脑筋爷爷又说："狗、野兔……都会播种，还有一位人们看不见的播种人。你们看，它又来了。"正说着，树枝摇摇摆摆，绿叶发出"沙沙"的响声。

　　小天真说："我知道了，知道了！"

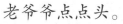

　　小问号又问："地上的野草也是它播的种？"

　　老爷爷点点头。

　　聪明的小朋友，你知道这个神秘的播种人是谁吗？

为什么要在春天或秋天种树？

天气很热，小天真身上不停地冒汗，他使劲地扇着扇子。

动脑筋爷爷拿出几棵小树苗来，说："小问号，小天真，我们种树去！"小天真惊奇地问："老爷爷，你开玩笑吗？种树要在秋天或春天，现在是夏天呀！"

小问号不说话，跟着动脑筋爷爷走。走呀走，真奇怪，在植物园里的一角，天气慢慢凉快起来，就像秋天一样。原来这是个奇妙的植物园，这里变成秋天了。他们把树种下后，小问号问："为什么种树要在秋天或春天？"动脑筋爷爷说："来，我给你们讲个故事。"

老白杨旁边，新来了一位小客人，老是不说话。

老白杨问："小树苗，你好！"

小树苗说："白杨公公，我刚给人们搬到这里来，身体挺不舒服，我受伤了吧？"

老白杨安慰它说："小树苗，别担心！现在是秋天，我们可以休息一会了。你的树枝和根受了点伤，只要一到春天，就会好起来的。还有，春天也是我们搬家的好时候，那时天气温暖，就是受点伤，也不要紧的。"

听了老白杨的话，小树苗放心地笑了。

小树要浇水，大树为什么不用浇水？

小问号和小天真听得不过瘾，又请老爷爷讲了一个故事。

风儿吹，树儿摇。大树旁边，有一棵小树苗，嚷着说："渴呀，渴呀，渴坏了！"

小白兔听见了，拔了萝卜来喂："小树苗，快吃吧，吃了萝卜就会饱。"

　　小树苗摇摇头说："不要，不要，我不要！"

　　小白兔着急了，不知道该给小树苗吃什么。

　　大树说话了："小树苗要喝水，喝了水，就会好的，你用水浇一浇吧！"

　　小白兔浇了水，小树苗高兴地摆动身体。小白兔提来一大壶水，想给大树喝。

　　大树说："不用不用，我的根又长又多，能够伸到很深很深的泥土里去，那里水很多，要喝多少有多少。小树苗的根儿又细又短又少，不浇水就活不成了。"

　　现在，小白兔明白了。

树木不吃东西，怎么长得老高老高？

听完动脑筋爷爷讲的故事，小问号感到很奇怪："树木只喝水，不吃东西，怎么长得老高老高的呢？"

老爷爷笑着说："别急，别急，再听我讲个故事。"

松树公公的身边，有一棵小松树，它什么也不懂。

早上，小松树用根喝泥土里的水。那水真好，又解渴，营养又丰富。暖暖的阳光，照在它的身上。小松树想，我的尖尖的叶子，被太阳晒黄了多不好，就要躲到松树公公背后去。松树公公忙止住它，说：

"快晒晒太阳吧，要不，你是长不大的。"

"为什么？我不是有营养丰富的水喝吗？"

"不，那还不够。"松树公公告诉它说，"阳光晒着我们的叶子，会把水和养料，制成营养丰富的东西。有了它，我们才会长大。"

"噢！"小松树点点头，乖乖地跟着松树公公晒太阳。

就这样，小松树一天天地长高啦！

到了秋天，树叶怎么会落下来？

　　午饭后，小问号他们正在散步。这里是植物园的秋天。走呀走的，吹来一阵秋风，树枝摇摇摆摆，树上的黄叶纷纷落下来。小天真问："到了秋天，树叶怎么会落下来？"动脑筋爷爷说："听了故事，你们就知道了。"

　　小松鼠身上换了一件厚厚的皮袄，准备过冬。它看见梧桐树抖着身子，黄叶飘落下来，着急地问："梧桐树公公，您不多长点叶子，反而把叶子落光了，全身光秃秃的，不怕冬天挨冻吗？"

梧桐树呵呵大笑，说："好孩子，我把叶子落掉，就为的准备过冬呀！"

　　小松鼠惊奇地问："这么说，长叶子不是为了好看的？"

　　"不，春天和夏天，叶子帮助我长高，挺重要哩！"

　　"那么……"小松鼠不知道怎么说才好。

　　梧桐树又呵呵大笑："对我们来说，落叶是件大事呢！秋天，天气很干燥，根喝到的水少了，叶子会把水散发掉。我们缺少水，就要枯死的。我们把叶子落掉，就是为了可以更好地过冬。"

　　小松鼠跳着说："原来这样，梧桐树公公，愿您好好地过一个冬天！"

松树柏树为什么不落叶?

动脑筋爷爷还没有讲完,小天真叫着说:"不对不对,那么松树柏树为什么不落叶?"动脑筋爷爷说:"你别着急,让我讲下去。"

小松鼠拖着大尾巴,跳呀跳的。它看见几棵松树和柏树,没有掉叶子,奇怪起来。它跳到老松树上,大声问:"松树老公公,您为什么不落叶呀?"

老松树听了,说:"小松鼠,我们跟梧桐不一样,梧桐身上的叶子是阔叶,我们是针叶,像针一样,水不容易从叶子上溜走,不怕缺水,用不着落叶。"

　　小松鼠说："您一辈子也不落叶吗？"

　　"不，我们也要落叶的，别的树一年换一次叶子，我们三年、五年换一次。我们换叶子，跟人换头发一样，是一批一批换的。只有粗心的人，才说我们不落叶呢！"

　　小松鼠不响了。过一会儿，它忽然高声叫起来："它们的叶子也是阔叶，怎么不落呢？"

　　老松树说："你问得好。它们的名字叫冬青，阔阔的叶子上面，包着一层像蜡一样的东西，水不容易溜走。冬天它们也是不落叶的。"

怎么知道一棵树多大年纪了？

植物园里有许多树，高的，矮的，大的，小的。

动脑筋爷爷问：“你们知道吗，这里哪一棵树的年纪最大？”

“我知道！”小天真满园子跑。他找到一棵桦树，树干滑溜溜的，又粗又高，就说：“老爷爷，这棵树年纪最大。”

“你说得对。”动脑筋爷爷走过来，称赞说，“不过，这里原先有棵老松树，要数它年纪最大。现在砍掉了，只留下了一个树桩。”

小问号很快地找到了松树桩，只见上面有一层层的圈儿，就问：“老爷爷，这是你画的吗？”

动脑筋爷爷捋捋胡子，笑着说：“谁也没有画，这是松树自己长出来的。树木生长一年，树干就大一圈。树干一年一年大起来，圈儿也就多起来。”

小问号说：“这么说，可以知道老松树的年纪了。咱们来数，有几圈，一，二，三……”

小天真数得快，已经数到一百多了，数着数着，最后数不清了。动脑筋爷爷笑着点点头说：“这棵老松树已经一百多岁了，它太老了，有的圈儿已经缠在一起了。”

春天，空中飘着的小白花是什么东西？

小问号他们走着走着，小天真忽然叫了起来："好像现在天气暖和了！"小问号说："我们走到植物园里的春天了。老爷爷，对吗？"动脑筋爷爷点点头。

春风吹着，空中飘着一朵朵小白花。小天真跑着追着，捉住了一朵，说："我知道，这是杨花。"

"你只说对了一半。"小问号说。

　　小天真不服地说："是杨树的花嘛，你怎么说对一半？"

　　"是杨树的，可不是花。"

　　到底是什么，小问号也说不出来。这时候，动脑筋爷爷开口问："做衣服的棉花，是花吗？"

　　"不是，"小问号摇头说，"是棉的种子上长着的绒毛。"

　　"对了。杨树的种子上也长着绒毛。这不是杨花，杨花早开过了。种子上长毛，这是植物传播种子的一种本领！"动脑筋爷爷说。

　　小问号说："我知道了。种子上长了绒毛，风吹来时，种子就会飞到远远的地方，钻进泥土里，发芽生长，长成小树、小草。"

　　"对的对的，"小天真抢着说，"蒲公英的种子，也是这样传播的。"

树叶和草为什么大都是绿色的？

　　春风轻轻地吹，太阳光温暖地照着，树林和草地一片碧绿。
小问号问："树叶和草为什么大都是绿色的？"

　　动脑筋爷爷想了想，说："在植物园里，有千千万万个工厂，
不停地工作着……"

　　"工厂？"小天真插嘴说，"我怎么没有看见？"

　　小问号说："这些工厂是不是造在地下的？老爷爷，您为什么不带我们去参观参观呢？"

　　"不，"老爷爷说，"这些工厂造在树叶和草叶里，叫作'叶绿素'。它们会把根部送上来的水和养料，叶里吸收的气体，让太阳光照着，做成好吃的东西，给树和草吃。有了'叶绿素'，树叶和草就变成绿色的了。"

　　小天真问："晚上没有太阳，植物的'叶绿素工厂'，要停工的！"

　　动脑筋爷爷点点头："这回小天真说对了。"

各种植物的叶子，有什么不同？

小问号指着树上的叶子，问小天真："你说说，叶子是不是一样的？"

小天真想也不想地说："各种叶子，颜色大都是绿的，样子也差不多。"

"不对。"小问号说。

动脑筋爷爷从每一种植物上，摘下一片叶子，给小天真看。这些叶子，有的像针，有的像剑，有的像羽毛，有的像手掌……一片叶子有一种样子，小天真看呆了。

看了一会儿，小天真嚷着说："小问号，你看，就是叶子的边，也不是完全相同的，有的边光滑完整，有的边裂开来了。"

动脑筋爷爷说："你们这样仔细观察，很好。各种植物的叶子，千变万化，不过我们可以看到：狭长的叶子，从叶柄到叶尖有一条条像火车轨道那样的纹路。阔大的叶子，纹路就像渔网，或者像羽毛。"

一片片平平常常的叶子，小问号和小天真从没有细心看过。今天，他们看了又看，看个没够似的！

花为什么有各种颜色？

　　动脑筋爷爷带领小问号和小天真去看演出。在等待区，摆着十多盆花。美丽的花朵，白的雪白，红的火红，黄的金黄……散发出一阵阵的香味。小问号说："花为什么有各种颜色？"小天真说："它们要把自己打扮一下。"动脑筋爷爷没说什么，拉着小问号和小天真走进大厅。

　　演出开始了。

　　颜料老伯伯爱画画。他拿了一块画板、一支画笔，在野外走着。他走过一棵桃树旁边，只见满树开着红花，就问："桃树，桃树，是谁给你涂上颜色的？"桃树一声不响，倒是花朵里有个轻轻的声音："我，花青素！"他走过一大片油菜田，油菜花开得像一块金黄色的大地毯，就问："油菜花，油菜花，是谁给你涂上颜色的？"油菜梗一声不响，倒是一朵黄花里传来一个细细的声音："我，胡萝卜素。"路上，颜料老伯伯碰到知识老人，问他这是怎么一回事。知识老人说："美丽的花朵里，都有花青素或胡萝卜素，它们千变万化，变成了各种各样的颜色，黄呀，红呀，紫呀，蓝呀……"

　　小天真凑近动脑筋爷爷说："知识老人好像是你啊！"

植物怎样传送花粉？

小天真说："看到了许许多多的花，我好像闻到了一阵阵香味。"小问号说："有些花没有香味。"动脑筋爷爷拉拉他们的衣袖，原来演出又开始了。

田野上，开着千千万万朵花儿。

春风吹到油菜花旁，轻轻地说："油菜花，我来给你传送花粉吧！"

油菜花说："我放出香气，蜜蜂妹妹和蝴蝶姐姐闻到了，会飞来给我传送花粉的。谢谢你！"

　　春风吹到蚕豆花旁，轻轻地说："蚕豆花，你的花，花瓣包得很紧，蜜蜂它们不会来传送花粉，我来给你传送吧！"

　　蚕豆花说："谢谢你，我自己会传送花粉，请你去给别的花儿传送吧！"

　　春风吹到小麦花旁，轻轻地说："小麦花，你没有香气，自己也不会传送花粉，我来给你传送吧！"

　　小麦花说："好，春风，春风，谢谢你！"

　　春风又唱歌又跳舞，吹得小麦花东摇西摆，花粉到处飞扬，吹到别的小麦花上，让小麦花结出麦穗来。

花儿为什么不在春天一齐开放？

最后一个节目叫作"百花齐放"。

春姑娘请来了许多客人：桃花、荷花、菊花和腊梅花。本来，荷花、菊花、腊梅花，春天是请不到的，今天它们也来了，这是难得的。

春姑娘对花儿们说："你们还都是第一次见面，自己介绍一下吧。"

桃花说："我是桃花。去年六七月里，我就准备好了花芽。冬天，我睡了一觉。春天天气暖和了，我开花了。"

荷花说："我是荷花。我最喜欢夏天，因为夏天太阳照射的时候长，天气热，我开花了。"

菊花说："我是菊花。我喜欢秋天，凉飕飕的秋风吹来的时候，我开花了。"

腊梅花说："我是腊梅花。我喜欢寒冷的冬天。下大雪，我也开花。"

介绍完了，黄莺唱起好听的歌，花儿们跳起舞来。

小问号说："老爷爷，要是花儿在春天一齐开放，那多热闹！"

动脑筋爷爷说："刚才花儿们不是说了吗？它们各自的脾气不同呀！有的爱冷，有的爱热，准备花芽花蕾的时候不一样，开花也就有早有迟，哪能一齐开放？"

停了一停，老爷爷又说："不过，现在科学家已经有办法，能叫一年四季的花，同时开放了。"

为什么要修剪树枝？

看完演出，小问号和小天真在植物园里玩皮球，球滴溜溜地滚到小河里去了。小天真去折树枝，想把球捞起来。小问号要阻止，已经来不及了。小问号责怪小天真说："你不知道树枝不能折的吗？"

小天真不服气："为什么不能折？你没见过，冬天，工人叔叔把树上的枯枝，剪得光秃秃的？"

小问号想想，真是这样，工人叔叔是修剪树枝的。她没话可说了。

"小问号没错。折了树枝，树木会受伤，生长不好，有的还会枯死。"动脑筋爷爷来了。

小天真又不服气，正想说话。

老爷爷接着说："可是工人叔叔修剪树枝是对的。他们剪掉没用的枯枝，这样，能够帮助树木生长得更健壮、更好看呀！"

小天真这才懂了。

植物会吃虫子吗？

　　小天真在路边看见一条小青虫。小问号问："虫吃植物，植物会吃虫吗？"小天真嚷着说："植物会吃虫？你想得多奇怪！"动脑筋爷爷笑着说："别争啦，我们看看猪笼草去吧！"

　　猪笼草全身红红绿绿，打扮得很美丽。它的叶子像一个瓶子，里面有香喷喷的蜜汁。瞧！一只苍蝇嗅到香味赶来啦。

　　苍蝇停在瓶口，细声细气地叫，好像说："多香啊，多香啊！"它向瓶里探了一探，就钻进瓶子里，大口大口地吃起蜜汁来。

　　苍蝇正吃得高兴的时候，脚下一滑，跌进瓶底，再也爬不出来了。它大声叫着，闹了一阵。过一会儿，再也听不到它的声音了。

　　动脑筋爷爷问："小天真，你相信了吗？"

　　小天真拍手说："猪笼草吃苍蝇的本领不错。真的，植物是会吃虫子的！"

　　动脑筋爷爷"呵呵"笑着，领着他们去喝茶了。

为什么树干和树枝都是圆的？

在茶室里，动脑筋爷爷要了三瓶汽水。小问号拿了一根吸管。小天真不喜欢圆吸管，把吸管捏成方管子。小天真要和小问号比赛，看谁吸汽水吸得快。

　　小问号用圆管子吸得快，小天真用方管子吸得慢。小天真输了。小问号问老爷爷，为什么圆管子吸汽水快？

　　动脑筋爷爷说："你们看见过方树干的树吗？"

　　孩子们摇摇头。动脑筋爷爷说："从前，有两颗小种子。一颗种子长出一根圆圆的茎，很快地推开泥土，长出嫩叶。它把养料从茎里送上去，长成一棵圆滚滚的小树。另一颗种子，它想长一根方方的茎，长呀长呀，费了好大的劲儿，才推开泥土。它的养料送得慢，长成了矮个儿的小树。一天，一阵大风吹来，把小方树吹折了，小圆树的身子摇摇摆摆，却还是直立着。"

　　小问号说："圆树干没有棱角，它不容易给风吹断。"

　　老爷爷说："你说得对。"

为什么心脏一直在跳动？

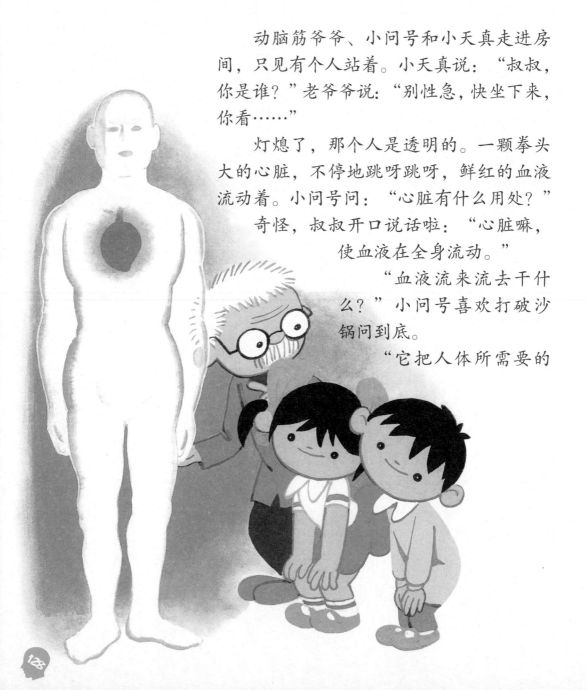

动脑筋爷爷、小问号和小天真走进房间，只见有个人站着。小天真说："叔叔，你是谁？"老爷爷说："别性急，快坐下来，你看……"

灯熄了，那个人是透明的。一颗拳头大的心脏，不停地跳呀跳呀，鲜红的血液流动着。小问号问："心脏有什么用处？"

奇怪，叔叔开口说话啦："心脏嘛，使血液在全身流动。"

"血液流来流去干什么？"小问号喜欢打破沙锅问到底。

"它把人体所需要的

氧气送到各部分，又排出二氧化碳和废物，你说巧妙不巧妙？"

小天真插嘴："心脏为什么不停地跳动？"

"血液经过心脏，心脏一张一缩，就不停地跳呀跳。它是个勤奋的家伙，在你生下来以前就跳了，从来不肯休息。"

小问号摸摸自己的胸口说："老爷爷，我的心脏比叔叔跳得快。"

老爷爷说："我的心脏，比他跳得更慢。你信吗？"

小问号和小天真有些不相信。

叔叔好像猜中两个孩子想些什么，说："老年人的心脏跳得较慢，成年人跳得快些，孩子正在成长发育，需要充足的氧气和养料，排出更多的二氧化碳和废物，因此心脏跳得更快了。"

小天真在老爷爷耳旁悄悄地说："这位叔叔怎么没有骨头？"

"它不是真的人，"动脑筋爷爷笑着说，"是一个会说话的机器人。"

人有多少块骨头？

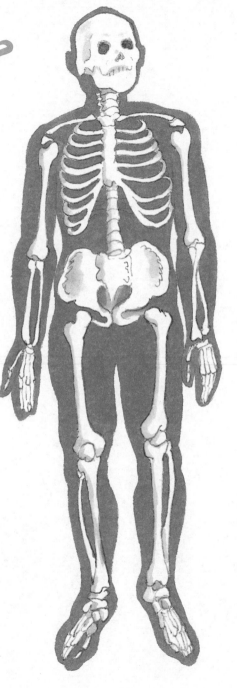

　　"我有骨头呢！"机器人说着，心脏和血液不见了，显露出全身的骨骼。

　　小天真一本正经地数呀数，一、二、三……

　　"小家伙，你想知道什么？"机器人问。

　　"人有多少块骨头？"

　　"206块。骨头的形状、大小，可不一样，有的长，有的短，有的扁……"

　　小问号上上下下仔细地看了看说："骨头为什么不一样？"

　　"头上的颅骨是扁骨，好像一只牢固的盒子，保护脑子。手和脚的骨头，由许多块长骨和扁骨组成，主要能使人运动，像拿碗筷呀，走路呀。"站着的机器人，忽然活动起来，手臂高举，平伸，又放下。

"那骨头里又是些什么呢？"小天真不解地问道。

"一半是水分，另外一半，含有钙、磷等，因此显得硬邦邦的。适当的体育锻炼和劳动，会使人的骨骼长得结实。"

小问号轻轻地问："人如果没有骨头会怎么样？"

她的话刚说完，机器人刹那间骨骼隐没了，一下瘫倒在地上。

小问号和小天真很惊奇。

动脑筋爷爷说："人的骨骼，就像支撑帐篷的帐杆，没有帐杆，帐篷就会坍塌。"

为什么要不停地呼吸？

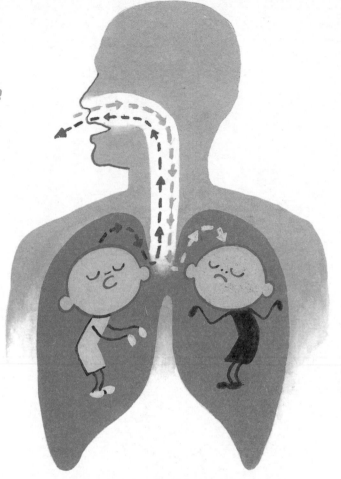

机器人站起来，宽阔的胸部一起一伏。

小天真转头对老爷爷说："他在呼吸呢。"

小问号问："人为什么要不停地呼吸？"

机器人说："你们看！"只见一股气从机器人的鼻子吸进去，经过咽、喉、气管，到了肺部。一眨眼儿，另一股废气，由他的肺部经过气管、喉、咽，到鼻子，呼了出来。

"吸进一股气，呼出也是一股气，没多大意思。"小问号怀疑地说。

"不！"机器人连连摇头，"人吸进氧气，吐出的是二氧化碳，两股气完全不同呀！"

神奇的机器人像个魔术师，嘴里咕咕哝哝，手一招，旁边出现一只篝火炉，篝火烧得很旺，火舌蹿了上来。他说："篝火要烧得旺，需要大量的氧气。人吃进去的食物，也需要氧气，才能变成能量，开动人体这台机器。"

"我们不呼吸行不行？"小问号问。

机器人还没来得及回答，只听见一声大嚷："啊哟！"大家一看，小天真为了不让自己呼吸，用手掐紧鼻子，满脸涨得通红。动脑筋爷爷连忙拉开他的手，说："傻孩子！"

皮肤有什么用？

机器人坐在沙发上，脸色红润，全身的皮肤淡黄光洁。小天真自言自语："人的皮肤，大约是为了好看。"

老爷爷给他俩每人一副显微眼镜。小天真戴了，拍手大嚷："机器人变成大人国里的人了。"

小问号看见机器人身体上有许许多多小东西，想钻进去，被皮肤挡住了。

老爷爷说："这些小东西，有的是传染疾病的病菌，皮肤挡住它们，保护了人的健康。"

这时候，机器人的额头上冒出大颗大颗的汗珠。他用纸巾抹掉汗。

"哈哈，机器人出汗了！"小天真说。

"爷爷，汗水怎么那么浑浊？"小问号问。

"皮肤可以调节体温。热了，汗顺着皮肤里的汗腺

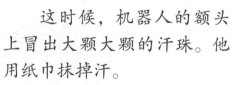

流出来。汗是水分，溶解了一些废物，看起来就浑浊不清。"

　　忽然，机器人夹起一个火红的火球，移到小问号面前，一股热流涌了过来。她连忙闪开，恍然大悟地说："皮肤会使人感觉冷热、痛痒、光滑或粗糙……譬如我洗脸时，觉得水太烫，就加一些冷水。"

　　老爷爷说："皮肤还能保护身体里面的器官呢。"

　　"皮肤的用处真不少！"小问号和小天真异口同声地说。

声音是从哪里发出来的？

听到老爷爷的赞美，机器人很高兴，就张开嘴巴，哩哩啦啦地唱起歌来：

"我是聪明的机器人，
动脑筋爷爷亲手做。
爱科学，
快乐多。

大家一起来唱歌，

索发米来哆！"

"声音是从哪里发出来的？"小问号问。

"嘴巴里。"小天真回答。

小问号说："我们闭紧了嘴巴，鼻子里怎么也会发出声音？"

小天真试着，紧紧闭住嘴，果真发出"嗯——"的声音。

机器人拿出一张图片。两个孩子看得莫明其妙，睁大了眼睛发愣。

动脑筋爷爷说："这是人的喉部，中间两条狭长的带子叫声带。声带平常不动，没什么声音。说话唱歌时，声带经过振动，又有嘴巴（包括牙齿、舌头）、鼻子的配合，才发出声音来。"

这时候，从房间外面传来一阵孩子的歌声，清脆、响亮。小问号正想提问，老爷爷好像猜中了她的问题，继续讲下去："儿童在成长发育时期，声带短小，窄窄的，薄薄的，所以说话唱歌的声音又尖又高。"

食物是怎样消化的？

他们走进一间大厅，里面站着一个高大的人，脚指头上可以行驶大卡车。

老爷爷说："他是巨人。我们走上去看看。"

小天真走到梯子的最高一级时，怕被巨人一口吞掉，喊声"不好"。

动脑筋爷爷说："别害怕，他是善良的巨人。"两个孩子跟着老爷爷，跨进巨人的嘴巴。老爷爷说："他长着一口坚硬的牙齿，把吃进嘴里的东西嚼烂，舌头来帮忙搅拌，跟唾液混合，变成软软的一团，咽下去。"

他们经过嘴巴、喉咙、食管，往下走到一个上通下达的大口袋——胃。

　　"胃，是消化食物的重要器官。"老爷爷说，"它20~30秒钟收缩一次，把食物软团搅拌、挤压、磨碎，变成糨糊样的东西——食糜，要花3~5个小时呢。"

　　再走下去，是一段弯弯曲曲的路，忽上忽下。小天真高声唱起歌来："我们走在隧道里……"

　　"这里是小肠，也会蠕动，使食物变得更烂。它长着密密麻麻的绒毛，吸收食物中的养料，送到身体的各处去。"

　　小问号睁大了眼睛，"那没有营养的残渣，怎么处理呢？"

　　"我们再走下去。"老爷爷说。

　　这是一条宽大的"隧道"，他们走呀走，到了尽头。老爷爷说："它叫大肠，把没有营养的残渣，变成粪便排出体外。"

　　小问号说："唷，原来食物是这样消化的。"

小朋友为什么要换牙？

动脑筋爷爷他们回到巨人的嘴边，下面有个小女孩嚷着："小问号姐姐，糟糕啦！"

小问号招招手，请她走上扶梯。小女孩手里面拿着一颗牙齿，惊异地说："我的牙齿摇呀摇的，不小心一碰，就掉了下来。好姐姐，请你把它装上去。"

小天真开玩笑说："小问号不是牙医，装不上去的。你的牙齿，会一只只掉下来，变成瘪嘴老婆婆。"

小女孩急得几乎哭了。

"珍珍，不要紧，掉下的牙齿叫乳牙。乳牙掉了，会长出新的牙齿来，叫恒牙。"

珍珍这才放心了。

"爷爷，小朋友为什么要换牙？"小天真问。

老爷爷请他拿珍珍的牙齿，跟小问号的比一比。

小天真仔细瞧着，说："珍珍的牙齿又小又薄，小问号的牙齿比较大，更结实。"

"对啦！乳牙掉了，换上更坚硬的恒牙。孩子有20颗乳牙。"

小问号问："大人一共有几颗牙齿？"她转过头不见珍珍，就大声喊着："珍珍……"

"我在这里。"珍珍从巨人嘴里探出头。

"珍珍，你数一数，巨人嘴里有几颗牙齿？"

不一会儿，珍珍跨出巨人的嘴说："32颗牙齿。"

"小朋友6~7岁开始换牙，到12岁左右换齐。"老爷爷说，"一直到20岁时，长出最后的恒牙。但也有些人，只长28颗牙齿。"

牙齿为什么会蛀？

直立的巨人，露出雪白的牙齿，微笑着。

珍珍说："巨人的牙齿雪白雪白的，很美。"

"我们来比一比，"小天真说，"谁的牙齿最美？"

大家一致同意，请动脑筋爷爷当裁判。

"一、二、三！"三个孩子张大嘴巴，只见老爷爷皱起眉头，从怀里掏出一面小镜子，叫小天真照照。

镜子里，小天真的牙齿不那么白，其中一颗牙齿，有个小黑点。

"你的牙齿蛀了！"老爷爷说，"小黑点会慢慢扩大，变成小洞、大洞，引起疼痛，晚上连睡觉也睡不好。"

　　"这怎么搞的？"小天真十分焦急，"爷爷，请你帮我把牙齿里的蛀虫捉掉。"

　　"牙齿里没有蛀虫。"

　　小问号说："那么是病菌了？"

　　"说得不错。每个人的牙齿，都有沟沟坑坑，暗藏了许多的病菌，靠吃食物的碎屑生活。病菌产生的酸性，把牙齿外面的一层牙釉质破坏，再慢慢地深入腐蚀牙齿内部。"老爷爷说，"小天真，你晚上吃东西吗？"

　　"奶奶疼我，要我长得高大，晚上睡觉前，常常给我吃蛋糕呀，饼干呀，巧克力呀。"

　　"睡觉前吃蛋糕、饼干和糖，碎屑嵌在牙齿或牙缝里，病菌吃得多称心，怪不得要蛀牙了。

　　"睡觉前要刷一次牙齿，刷掉食物的碎屑，使可恶的病菌不能作怪。"老爷爷又说，"小天真，明天我带你去请医生补牙。"

牙齿的形状为什么不一样？

"走吧，走吧！"小天真催促说。

小问号拉住珍珍的手，站着不动。她看着巨人的牙齿，出神啦！

"走，走，看什么！"小天真又说。

"我以为颗颗牙齿的形状一样。"小问号自言自语，"不，不一样。"

老爷爷微笑地点点头。小天真觉得新鲜，跳进巨人的嘴里，走东走西忙着。

珍珍说："小哥哥，你忙什么？"

"牙齿的形状确实不同，真有趣。"

"切牙长在牙齿最前面，是守卫大门的警卫。"老爷爷说，"它们的形状是怎样的？"

小天真抢先说："扁扁的，平平的。"

小问号接着说："好像切菜刀，用来切断食物。"

"切牙的两旁，叫尖牙。"老爷爷又说。

"尖牙尖尖的，像把尖头刀。"珍珍接着说。

动脑筋爷爷笑了，"吃鸡腿呀，吃肉骨头呀，尖牙帮助你撕碎它。"

"尖牙后面的牙齿，又阔又大，好像个磨子。"小问号说。

"阔大的牙齿就叫磨牙，上下磨牙合起来，能把食物磨得粉碎，磨牙的端面凹凸不平，像一个石臼，所以又叫白牙。"动脑筋爷爷指着磨牙说。

小天真唱起歌来：

"切牙像把切菜刀，

尖牙像把尖头刀，

磨牙磨得食物碎，

分工合作配合好！"

老爷爷赞扬他知识丰富了。

为什么人的身体早上比晚上要高一些？

"1米02！"

"咦，怎么只一天工夫我就长高了2厘米。"早上，小天真站在磅秤上量身高。"昨天还只有1米。"

"再量一次看看。"小问号嘟囔着。

"没错嘛，还是1米02。"

"老爷爷，老爷爷，出奇迹了，小天真一夜长高了2厘米。"

"哦，那一个暑假下来，小天真不是要长高几十厘米了！"老爷爷开了个玩笑。

"其实啊，我们每个人的身体早上都比晚上要高一些。你们知道这是什么原因吗？"

小问号和小天真你看看我，我看看你，不知道是怎么回事。

　　"你们看。"老爷爷拿出一张人体骨骼图，"头骨下面是脊椎骨，脊椎骨一节连着一节，再下去，盆骨托着上面的骨骼，压在大腿骨上，大腿骨连着小腿骨。白天，人不是坐着，就是站着，或者走着，地心引力把我们从头到脚往下拉，拉短了一些。晚上睡觉时，人的肌肉、骨骼都放松了。所以，人在早上最高，晚上最矮，往往可以相差1~2厘米。如果白天走的路较多，或者运动量过大，那么晚上身高和早上相比，可以相差4厘米呢！"

为什么呵痒痒会让人发笑？

"醒来！醒来！"小问号推了推正在打瞌睡的小天真。

"嗯——"小天真不耐烦地嗯了一声。

"好，我有办法。看你还醒不醒！"小问号朝小天真的胳肢窝里呵起痒痒来。

这一下还真灵，小天真一下就醒了，他被呵得前仰后合，哈哈笑个不停："别闹，别闹，我醒了还不行。"小天真讨饶了。

"那我罚你回答三个问题。第一个问题：为什么被人呵痒痒，会痒得发笑？"

"那是因为你怕痒呗！"

"这倒不是。"老爷爷插嘴了，"人的皮肤是很敏感的，在每平方厘米上，有100~200个痛点，25个触点，12~13个冷点，1~2个热点。痒是痛点受到轻微的刺激引起的。有一些部位特别敏感，如头颈、胳肢窝、手心、脚心、腰、肚皮……当有人触摸这些部位时，就会使痒的感受器兴奋起来，并传给大脑……"

　　"那么自己搔自己为什么不发痒呢？"

　　"这个问题提得好。"老爷爷夸奖小问号，"当你自己搔自己，思想上已有了准备，就好比打了预防针，对痒就'免疫'了。"

为什么笑也会笑出眼泪来？

"小问号，第二个问题呢？"小天真一边用手背擦刚才笑出来的眼泪一边问。

"为什么笑得久了，也会流泪？"

"这是为什么呢？老爷爷，再跟我们讲讲吧！"小天真央求动脑筋爷爷。

"噢，别以为人只有在哭的时候会流眼泪。其实人的眼泪是一刻不停地在分泌的，而且时时刻刻在眼球表面流动。不然的话，眼球太干了，人会不舒服的。"

说到这里，老爷爷拿出一张眼睛的结构图，"你们看，这是眼睛的结构图。眼睛平时分泌的眼泪是很少的，而且它们很守规矩，紧紧地沿着眼球表面和眼皮内的微小空隙流动。因此，你感觉不到有泪水在流动。

　　"我们平时总是不停地在眨眼睛。当睁眼闭眼的一刹那，眼球表面的泪水就被吸收到眼泪的'下水道'——鼻泪管里去了。喏，这就是鼻泪管。

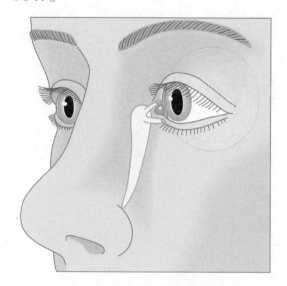

　　"人在纵声大笑时，睁眼闭眼的动作，都要比平时眨眼睛来得大。一方面眼皮拼命用力闭眼睛，把泪水挤向鼻腔；一方面鼻腔里的压力增加，泪水向鼻腔的流动受到阻碍，'下水道'不通了，积在眼眶里的泪水越来越多，最后只好夺眶而出了。"

眼泪为什么是咸的？

　　"谢谢老爷爷。小天真，别忘了，还有第三个问题呢。"小问号一点也不放过小天真，"眼泪水为什么是咸的？"

　　"难道是眼泪里有盐？"小天真说。

　　"对，一点也不错。"老爷爷点点头，"人的眼泪 99% 是水分，1% 是固体。那固体里一半以上是盐。所以泪水流到嘴里会有咸味。"

"那么眼睛里怎么会有盐呢？"小问号感到很奇怪。

"盐在人体内分布得很广，血液里、体液里、组织内，到处都有。血液里含有0.9%的盐分，在泪水中则含有0.6%。"

接着老爷爷又说："别小看眼泪水呢！泪水中不仅含有盐分，还含有能够溶解细菌的酶，有杀菌和消毒的作用，能消灭暗藏在眼眶里的细菌。"

饿了为什么肚子会咕咕叫？

小天真和小问号跟着动脑筋爷爷去参加夏令营。

汽车开了3个小时，终于到了营地。大家肚子饿得咕咕叫。就在这个时候，小天真又问问题了。

"小问号，我问你，人饿时，肚子为什么会咕咕叫？"

"这有什么奇怪的，这是胃向你打招呼呗！'我饿了，我饿了！'"

"你这算什么回答？不算，不算！"

"小问号说的也算有点道理。说是胃在打招呼，也是对的。"动脑筋爷爷说，"人一日要吃三餐，是同胃的收缩运动的规律相配合的。当食物在胃中消化得将近完毕的时候，胃液仍旧在继续分泌着。但那时候因为胃里空了，胃的收缩就逐渐加强和延长。空胃的猛然收缩，使胃液和吞咽下去的气体发生了碰撞，于是就发出咕咕叫的声音。好像在告诉大脑：'我饿了，我饿了！'人就产生了饿的感觉。"

　　"你听，老爷爷说我对的吧。"小问号很得意。

　　"不算，不算！ 这其中的道理又不是你说的。"小天真不服气。

　　"开饭了！"一听到开饭了，小天真和小问号立刻冲进了饭厅。

人睡着了为什么会说梦话？

夏令营的活动丰富多彩，小天真玩得很高兴。到了晚上，小天真头一挨上枕头就睡着了。

"伊伊伊……呜呜伊伊……不要——呼呼……"

"谁在说话？咦，这是在讲什么话？"小天真被奇怪的说话声吵醒了。

"好像是在说梦话。"旁边的同学也被吵醒了。

"唔唔唔……呼呼唔……好——给我看，不好不好——给我吃……格格格——"

"对，是在说梦话，还磨牙呢。"

"人睡着了为什么会做梦呢？"

"这是因为人的身体虽然睡觉休息了，但是大脑却忙得很，它要把白天发生的事情记录下来，也会整理一下白天的生活、工作和学习，这样就要做梦。每个人每晚要做 4~6 个梦呢！"

"人人都要做梦，但是为什么不是人人都会说梦话呢？"

"睡觉有睡得熟不熟的区别。如果睡得不熟，有可能大脑的个别区域、个别部位仍然很兴奋。如果大脑中那个主管语言的部位没有完全休息，还在工作，那么人很可能就会说话了。"

"那么梦游又是怎么回事呢？"

"那是大脑中支配运动的那部分在睡觉时没有完全休息的缘故。"

"小天真，你怎么懂得这么多。"

"动脑筋爷爷告诉我的。"

为什么不闭上眼睛睡不着觉？

小天真和同学越聊越起劲了。

"小天真，我问你，人为什么要闭上眼睛才睡得着？"

"这个问题，动脑筋爷爷也说给我听过。白天，人进行各种活动，学习、工作、走路，靠视觉——眼睛看，听觉——耳朵听，嗅觉——鼻子闻，触觉——皮肤接触，来感觉环境里发生的事。人醒着的时候，总是一刻不停地靠这些感觉器官，把各种信息传递给大脑。因此大脑的各个部位都保持着兴奋的状态。人要睡觉，就要让大脑休息下来。为了让大脑休息下来，就要使人的各种感觉器官，同外界脱离关系，不看，不听，不摸。"

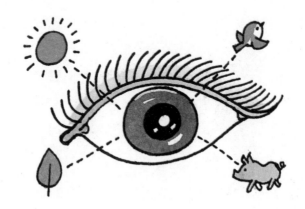

"懂了，人睡觉的时候，要把窗帘拉上，把灯关了，也是这个道理吧！"

"对，人在安静的环境中，才有利于大脑休息，让睡眠快些到来。所以，一般情况下人睁着眼睛是睡不着的。不要说人了，就是一部分动物，如牛、羊、狗、猫，也是这样。"

为什么脑子能记住那么多东西？

夏日的夜空，繁星点点。

小天真和小问号在动脑筋爷爷的院子里，一边乘凉，一边问动脑筋爷爷："人的脑子为什么能记住这么多的东西呢？"

"这是因为大脑有一种记忆的功能。"动脑筋爷爷回答道。

"大脑的这种记忆功能呀，可以把我们平时听说过的、见到过的和经历过的事情，都印在大脑中，并保存下来。当我们需要的时候，又可以随时随地想起来。借助于这种记忆功能，人脑就能记住很多东西。"

"可是为什么有的事情也会忘记呢？"小问号歪着小脑袋问。

　　"那是因为这些事情对大脑刺激不强，印象不深。在大脑中保存的时间短，就容易产生遗忘。"

　　"要是大脑没有了记忆会怎么样呢？"小天真调皮地瞪着大眼睛问。

　　"那时，妈妈就会不认识自己的孩子，学生不认识自己的老师……"

　　"我也不认识动脑筋爷爷啦！"动脑筋爷爷还没说完，小天真就嚷起来。

　　动脑筋爷爷和小问号都被小天真逗乐了。

为什么说大脑是人体的"司令部"?

　　"老爷爷，为什么有人说大脑是人体的'司令部'啊?"小问号又给动脑筋爷爷提了一个问题。

　　"大脑指挥人体的一切活动，当然是人体的司令部了!"小天真抢着回答。

　　"可是，大脑为什么能指挥人体的一切活动呢?"

　　小天真答不上来，他搔了搔后脑勺说:"唉，你这个小问号可真厉害! 老爷爷，您快告诉我们吧。"

动脑筋爷爷想了想，说："人的脑子，可分为大脑、小脑等许多部分，每一部分都有各自不同的功能：有的管听，有的管看，有的控制人们的情绪和思维……

"不仅如此，大脑这儿还发出许多神经，同耳朵、眼睛以及身体的一切器官联系起来。"

动脑筋爷爷一边用手比划，一边耐心地解释："比如我们穿马路时，看到红灯亮着，眼睛就通过神经把看到的传给大脑，大脑就立即进行思维，发出命令——红灯亮了，不可以过去！运动器官通过神经接收到大脑的命令，就会停下脚步。"

"大脑时刻指挥着手脚的活动，可真像个司令部呀！"小天真若有所思地说。

脑子越用越聪明吗？

"那人的聪明与不聪明和什么有关呢？"小问号进一步问道。

动脑筋爷爷说："一个人的智力水平主要取决于父母的遗传、所处的环境，以及所接受的教育。

"父母智力水平较高，往往子女的智力水平也比较高。但是，大脑就像座'加工厂'，没有'原材料'可不行。只有不断地学习，不断地接受外界新的东西，才能生产出丰富的'产品'，变得越来越聪明。"

"那就是脑子越用越聪明了。"小天真忍不住插嘴说。

动脑筋爷爷接着说："是的。世界上没有'不学自知'的'天才大脑'。大发明家爱迪生说过：天才是百分之一的天赋……"

"加上百分之九十九的勤奋。"没等动脑筋爷爷说完这句话，小天真和小问号便齐声接了下去。

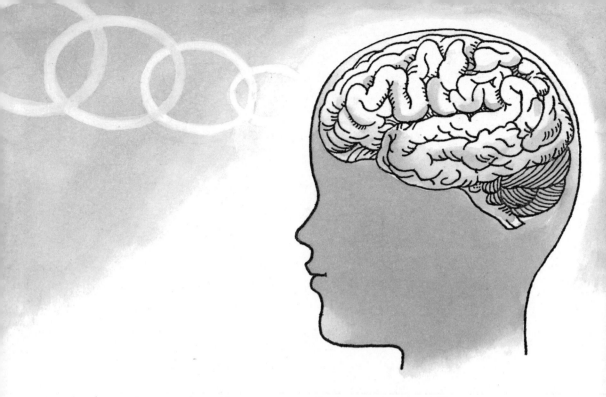

电脑比人脑聪明吗？

　　小天真和小问号学会了使用电脑上网、画画、玩游戏。小问号认为电脑比人脑聪明，小天真认为人脑比电脑聪明。他们谁也说服不了谁，一齐来找动脑筋爷爷。

　　老爷爷笑着说："电脑确实很聪明，它有比人脑更准确的计算能力，并能控制宇宙飞船、操纵机器……可是，要是因此小看了人的大脑，那就错了。你们知道吗？人的大脑皮层至少有140亿个神经细胞，一个神经细胞就相当于一台电脑，每一台电脑又跟四周大约1000台电脑相互联系着。"

　　"乖乖，人脑这么复杂啊！"小问号惊奇地叫道。

动脑筋爷爷继续说："人的大脑不仅远比电脑复杂、精密，而且电脑都是通过人的双手制造出来的，只能执行人给予的'指令'，而没有自己的思想和智慧。因此，再好的电脑也不可能代替人脑。你们说，电脑和人脑谁更聪明？"

　　"人脑更聪明！"小天真和小问号异口同声地说。

图书在版编目(CIP)数据

动脑筋爷爷精选版·生命的世界 / 嵇鸿 等著. —上海：
少年儿童出版社，2017.3
ISBN 978-7-5589-0002-0

Ⅰ.①生… Ⅱ.①嵇… Ⅲ.①科学知识—少儿读物
Ⅳ.①Z228.1
中国版本图书馆CIP数据核字（2016）第236011号

部分文章无法联系上作者，请作者与出版社联系。

动脑筋爷爷精选版

生命的世界

嵇　鸿　　盛如梅　　阳　光　　黄廷元
　　　　　　　　　　　　　　　　　　等著
于　宙　　姚惠祺　　洪祖年　　靳　琼

陈永镇　乐小英　绘图

陈艳萍　装帧设计　董　念　录音

责任编辑 熊喆萍　美术编辑 陈艳萍
责任校对 黄亚承　技术编辑 陆　赟

出版 上海世纪出版股份有限公司少年儿童出版社
地址 200052　上海延安西路1538号
发行 上海世纪出版股份有限公司发行中心
地址 200001　上海福建中路193号
易文网 www.ewen.co　少儿网 www.jcph.com
电子邮件 postmaster@jcph.com

印刷 上海新艺印刷有限公司
开本 720×980　1／16　印张 10.5
2017年3月第1版第1次印刷
ISBN 978-7-5589-0002-0/ N·1023
定价 25.00元